Einstern

Mathematik für Grundschulkinder

3

Themenheft 3
⭐ Schriftliche Addition
⭐ Größenbereich Zeit

Erarbeitet von Roland Bauer und Jutta Maurach

In Zusammenarbeit mit der
Cornelsen Redaktion Grundschule

Cornelsen

Einstern 3

Mathematik für Grundschulkinder
Themenheft 3
Schriftliche Addition
Größenbereich Zeit

Erarbeitet von:	Roland Bauer, Jutta Maurach
Fachliche Beratung:	Prof'in Dr. Silvia Wessolowski
Fachliche Beratung exekutive Funktionen:	Dr. Sabine Kubesch, INSTITUT BILDUNG plus, im Auftrag des ZNL TransferZentrum für Neurowissenschaften und Lernen, Ulm
Redaktion:	Friederike Thomas, Peter Groß, Uwe Kugenbuch
Illustration:	Yo Rühmer
Illustration der Geldscheine und Münzen:	Chrinstine Wächter
Umschlaggestaltung:	Cornelia Gründer, agentur corngreen, Leipzig
Layout und technische Umsetzung:	lernsatz.de

fex steht für *Förderung exekutiver Funktionen*. Hierbei werden neueste Erkenntnisse der kognitiven Neurowissenschaft zum spielerischen Training exekutiver Funktionen für die Praxis nutzbar gemacht. **fex** wurde vom **ZNL TransferZentrum für Neurowissenschaften und Lernen** *(www.znl-ulm.de)* an der Universität Ulm gemeinsam mit der **Wehrfritz GmbH** *(www.wehrfritz.com)* ins Leben gerufen. Der Cornelsen Verlag hat in Kooperation mit dem ZNL ein Konzept für die Förderung exekutiver Funktionen im Unterrichtswerk *Einstern* entwickelt.

Bildnachweis

5, 6, 11, 12 Euroscheine: Cornelsen/Christine Wächter/Deutsche Bundesbank   **1-Euro-Münze:** Cornelsen/Christine Wächter/Deutsche Bundesbank/Luc Luycx aus Belgien   **26** Peter Groß, Berlin

www.cornelsen.de

1. Auflage, 4. Druck 2023

Alle Drucke dieser Auflage sind inhaltlich unverändert
und können im Unterricht nebeneinander verwendet werden.

Druck: Athesiadruck GmbH

ISBN 978-3-06-083693-2
ISBN 978-3-06-084230-8 (E-Book: alle Themenhefte 3)

PEFC-zertifiziert
Dieses Produkt stammt aus nachhaltig bewirtschafteten Wäldern

PEFC
PEFC/18-31-166   www.pefc.de

Inhaltsverzeichnis

Geldbeträge legen und sortieren

1

Das ist das Geld aus dem Getränkeverkauf.

So viel haben wir beim Flohmarkt eingenommen.

Bestimme, wie viel die Kinder eingenommen haben:

a) beim Getränkeverkauf

b) beim Flohmarkt

c) insgesamt

Seite 5 Aufgabe 1

a) 2 3 4 €   b) ...

2 Lege die Geldbeträge in geordneter Form untereinander. Ermittle die Einnahmen.

Ich sortiere geschickt in Hunderter, Zehner und Einer. Es sind 657 Euro.

a)   Getränke   Flohmarkt

b)   Kuchenverkauf   Grillstand   c)   Salate   Pizza

d)   Losverkauf   Zirkusvorstellung   e)   Belegte Brötchen   Butterbrezeln

★ übersetzen Problemstellungen einer Sachsituation in ein mathematisches Modell
★ legen Geldbeträge mit Rechengeld stellengerecht untereinander und addieren sie

5

Hunderter	Zehner	Einer
6	5	7

	H	Z	E
	2	3	4
+	4	2	3
	6	5	7

Beginne immer mit den Einern.

4 plus 2 gleich 6

2 plus 3 gleich 5

3 plus 4 gleich 7

1 Addiere die Geldbeträge. Übertrage sie dazu in eine Stellentafel.
Addiere die einzelnen Stellen von unten nach oben. Beginne mit den Einern.

a)
Hunderter	Zehner	Einer

Seite 6 Aufgabe 1

a)
	H	Z	E	b) ...
	3	5	3	
+	2	3	4	
	5	8	7	

b)
Hunderter	Zehner	Einer

c)
Hunderter	Zehner	Einer

★ übertragen von der konkret handelnden Ebene in die symbolische Darstellung in der Stellentafel
★ lösen Aufgaben zur Addition im Zahlenraum bis 1000

Additionsaufgaben in der Stellentafel darstellen

Hunderter	Zehner	Einer
□□□	IIII	..
□□	IIIII	....
5	9	6

5 Zehner plus 4 Zehner sind gleich 9 Zehner.

4 Einer plus 2 Einer sind gleich 6 Einer.

2 Hunderter plus 3 Hunderter sind gleich 5 Hunderter.

1 Übertrage die beiden dargestellten Zahlen in eine Stellentafel.
Addiere die einzelnen Stellen von unten nach oben. Beginne mit den Einern.

a)

Hunderter	Zehner	Einer
□□□□	II	...
□□□	IIIII	....
■	■	■

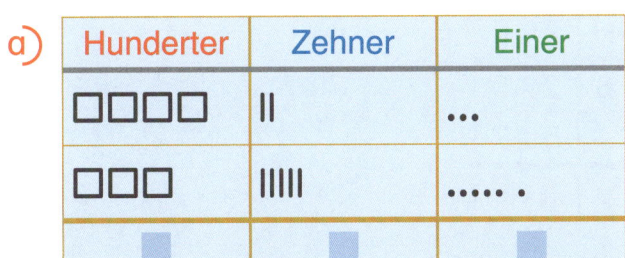

Seite 7 Aufgabe 1

a)	H	Z	E	b)	...
	4	2	3		
+	3	5	6		
	7	7	9		

b)

Hunderter	Zehner	Einer
□□	III	.....
□	IIII	....
■	■	■

c)

Hunderter	Zehner	Einer
□□□□□	IIII	....
□□□	IIIII	...
■	■	■

2 Zeichne Rechenbilder zu den Additionsaufgaben.

a) 234 + 142   **b)** 325 + 241

c) 134 + 362   **d)** 423 + 432

e) Überlege dir selbst
zwei passende Aufgaben.

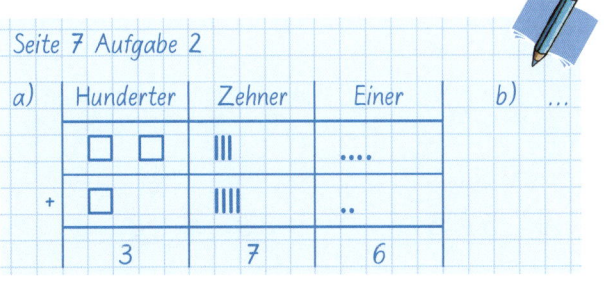

Seite 7 Aufgabe 2

a)	Hunderter	Zehner	Einer	b)	...
	□ □	III	....		
+	□	IIII	..		
	3	7	6		

In der Stellentafel addieren

1 plus 5 gleich 6

Beachte:
Beginne bei den Einern.
Rechne von unten
nach oben.

1 Zeichne die Stellentafeln in dein Heft.
Rechne und sprich dazu.
Bitte ein anderes Kind, deine Sprechweise zu überprüfen.

a)
H	Z	E
4	5	6
+ 1	3	2

b)
H	Z	E
1	2	3
+ 4	1	2

c)
H	Z	E
7	2	5
+ 1	6	4

Seite 8 Aufgabe 1

a)
H	Z	E
4	5	6
+ 1	3	2
5	8	8

b) ...

d)
H	Z	E
	5	6
+ 3	2	1

e)
H	Z	E
2	3	0
+ 5	0	6

f)
H	Z	E
8	2	0
+	5	7

2 Schreibe jede Aufgabe in eine Stellentafel
und berechne das Ergebnis.

a) 316 + 423 = ⬜

b) 73 + 516 = ⬜

c) 665 + 212 = ⬜

d) 325 + 203 = ⬜

e) 306 + 510 = ⬜

f) 434 + 251 = ⬜

g) 517 + 72 = ⬜

h) 512 + 346 = ⬜

Seite 8 Aufgabe 2

a)
H	Z	E
3	1	6
+ 4	2	3
7	3	9

b) ...

8	5	6

3	6	9	8

7	2	5	8	6

 13 14 11

★ nutzen planvoll und systematisch die Struktur des Zehnersystems
★ übertragen eine Darstellung in eine andere

→ AH Seite 27
→ Ü Seite 22

Zahlen untereinanderschreiben und addieren

Beim schriftlichen Rechnen musst du die Zahlen richtig untereinanderschreiben.

$$265 + 634$$

Beachte:
Einer unter Einer
Zehner unter Zehner
Hunderter unter Hunderter

1 Schreibe die Zahlen richtig untereinander und berechne das Ergebnis.

a) 252 + 413 = ▢

b) 504 + 93 = ▢

c) 361 + 228 = ▢

d) 235 + 464 = ▢

e) 327 + 250 = ▢

f) 21 + 371 = ▢

Seite 9 Aufgabe 1

a) 2 5 2
   + 4 1 3
   ‾‾‾‾‾‾‾
    6 6 5

b) ...

2 Schreibe nun immer die drei Zahlen richtig untereinander und berechne das Ergebnis.

a) 423 + 32 + 314 = ▢

b) 207 + 360 + 130 = ▢

c) 111 + 222 + 333 = ▢

d) 165 + 313 + 21 = ▢

e) 671 + 205 + 13 = ▢

f) 331 + 15 + 443 = ▢

Seite 9 Aufgabe 2

a) 4 2 3
   + 3 2
   + 3 1 4
   ‾‾‾‾‾‾‾
    7 6 9

b) ...

3 Berechne das Ergebnis. Stelle jeweils selbst eine Aufgabe zusammen, die das gleiche Ergebnis hat.

a) 135 + 542 = ▢

b) 231 + 145 + 523 = ▢

Seite 9 Aufgabe 3

a) ...

4 Schreibe die Aufgaben in dein Heft.
Setze die fehlenden Ziffern ein.

a)   3 ▢ 1
    + 4 9 ▢
    ‾‾‾‾‾‾
     ▢ 9 5

b)   3 ▢ 1
    + ▢ 8 ▢
    ‾‾‾‾‾‾
     6 9 3

c)   8 3 ▢
    + ▢ ▢ 5
    ‾‾‾‾‾‾
     9 7 7

d)   ▢ ▢ 6
    +   4 ▢
    ‾‾‾‾‾‾
     7 7 7

e)   ▢ 5 4
    + 4 ▢ ▢
    ‾‾‾‾‾‾
     4 6 8

f)   5 ▢ ▢
    + ▢ 3 2
    ‾‾‾‾‾‾
     6 6 6

Seite 9 Aufgabe 4

a) 3 ⓪ 1
   + 4 9 ④
   ‾‾‾‾‾‾
    ⑦ 9 5

b) ...

Zahlenrätsel lösen

1 Berechne die gesuchten Zahlen durch schriftliches Addieren.

a) Wenn du zu der gesuchten Zahl 413 addierst, erhältst du 654.

b) Die gesuchte Zahl erhältst du, wenn du 312 und 345 addierst.

c) Wenn du zu 523 die gesuchte Zahl addierst, erhältst du 857.

d) Addiert man die beiden gesuchten Zahlen, ergibt das 745. Finde mindestens drei Lösungen.

e) Besprich deine Vorgehensweise und deine Lösungen mit einem anderen Kind.

Seite 10 Aufgabe 1
a) ...

2 Löse die Knobelaufgaben. Besprich deine Vorgehensweise und deine Lösungen mit einem anderen Kind.

a) Bilde unterschiedliche dreistellige Zahlen mit den Zahlenkärtchen 1 2 3. Findest du alle?

Seite 10 Aufgabe 2
a) ...

b) Schreibe immer zwei der Zahlen aus a) untereinander und addiere sie. Wie viele verschiedene Aufgaben findest du?

c) Welche beiden Zahlen mit den Ziffern 1, 2, 3 kannst du bilden und addieren, um die Summe 444 zu erhalten? Finde zwei verschiedene Lösungen.

d) Bilde zwei unterschiedliche Zahlen so, dass bei der Addition das größte mögliche Ergebnis entsteht.

e) Bilde zwei unterschiedliche Zahlen so, dass bei der Addition das kleinste mögliche Ergebnis entsteht.

f) Welche beiden Zahlen mit den Ziffern 1, 2, 3 ergeben addiert 534? Finde zwei verschiedene Lösungen.

g) Überlege dir drei verschiedene Ziffern. Bilde mit ihnen zwei unterschiedliche dreistellige Zahlen, deren Summe 666 ist. Finde zwei verschiedene Lösungen.

Die Summe aus 123 und 231 ist 354.

Die Summe ist das Ergebnis einer Additionsaufgabe.

* verwenden die Fachbegriffe beim Lösen von Zahlenrätseln richtig
* wenden ihre mathematischen Kenntnisse, Fähigkeiten und Fertigkeiten bei der Bearbeitung herausfordernder Aufgaben an
* probieren zunehmend systematisch und zielorientiert

Geldbeträge legen und Einer in Zehner umtauschen

327 € + 135 €

Hunderter	Zehner	Einer
4	5	12
4	6	2

Aus 12 Einern werden 1 Zehner und 2 Einer.

Ich tausche 10 in 1.

1 Lege die Aufgabe mit Rechengeld, tausche Einer in Zehner und schreibe in dein Heft.

a) 218 € + 456 €

Hunderter	Zehner	Einer
■	■	■
■	■	■

Seite 11 Aufgabe 1

a)

H	Z	E	
2	1	8	
+ 4	5	6	
6	6	14	
6	7	4	

218 € + 456 € = 674 €

b) ...

b) 358 € + 34 €

Hunderter	Zehner	Einer
■	■	■
■	■	■

c) 362 € + 218 €

Hunderter	Zehner	Einer
■	■	■
■	■	■

★ nutzen planvoll und systematisch die Struktur des Zehnersystems
★ wechseln Geldbeträge
★ übertragen eine Darstellung in eine andere

11

$$274\,€ + 361\,€$$

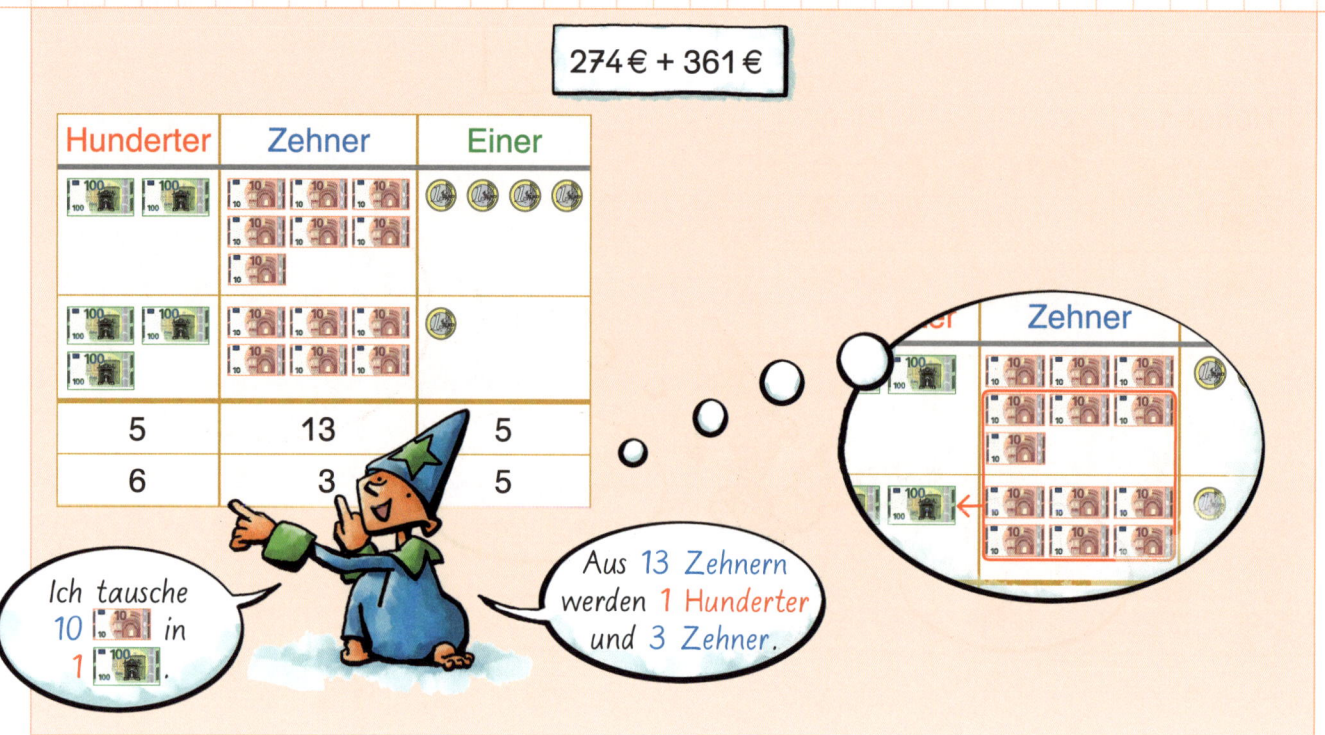

Hunderter	Zehner	Einer
5	13	5
6	3	5

Ich tausche 10 🔟 in 1 💯.

Aus 13 Zehnern werden 1 Hunderter und 3 Zehner.

1 Lege die Aufgabe mit Rechengeld,
tausche Zehner in Hunderter und schreibe in dein Heft.

a) 295 € + 423 €

Hunderter	Zehner	Einer
◻	◻	◻
◻	◻	◻

Seite 12 Aufgabe 1

a)
	H	Z	E
	2	9	5
+	4	2	3
	6	11	8
	7	1	8

295 € + 423 € = 718 €

b) ...

b) 481 € + 147 €

Hunderter	Zehner	Einer
◻	◻	◻
◻	◻	◻

c) 552 € + 253 €

Hunderter	Zehner	Einer
◻	◻	◻
◻	◻	◻

★ nutzen planvoll und systematisch die Struktur des Zehnersystems
★ wechseln Geldbeträge
★ übertragen eine Darstellung in eine andere

Additionsaufgaben mit Übertrag in der Stellentafel darstellen

H	Z	E
☐☐☐☐	ⅠⅠⅠⅠⅠⅠ	......
☐☐	Ⅰ	....
6	8	14
6	9	4

476 + 218

Ich tausche 10 Einer in 1 Zehner.

Aus 14 Einern werden 1 Zehner und 4 Einer.

1 Zeichne Rechenbilder zu den Additionsaufgaben.
Rechne. Tausche um, wenn nötig.

a) 257 + 126   b) 341 + 285   c) 163 + 372

d) 581 + 342   e) 156 + 36   f) 85 + 172

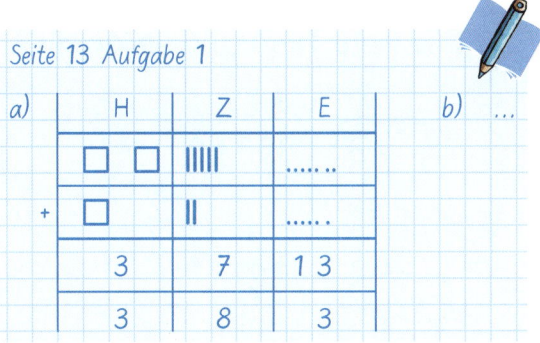

Seite 13 Aufgabe 1

a)
H	Z	E
☐ ☐	ⅠⅠⅠⅠⅠ	....
+ ☐	ⅠⅠ	....
3	7	1 3
3	8	3

b) ...

2 Übertrage die Rechenbilder in eine Stellentafel
und addiere die Zahlen. Tausche um, wenn nötig.

a)
H	Z	E
☐☐☐	ⅠⅠⅠⅠ	......
☐☐	ⅠⅠⅠⅠⅠⅠⅠ	...

b)
H	Z	E
☐☐☐☐	ⅠⅠⅠⅠⅠ	....
☐☐		....

c)
H	Z	E
☐☐☐☐	ⅠⅠⅠⅠⅠⅠⅠ	....
☐☐☐	ⅠⅠⅠ	.....

d)
H	Z	E
☐☐☐	ⅠⅠⅠ	....
☐☐	ⅠⅠⅠⅠⅠ	....

Seite 13 Aufgabe 2

a)
H	Z	E
3	4	5
+ 2	7	3
5	1 1	8
6	1	8

b) ...

3 Übertrage die dargestellten Zahlen in eine Stellentafel.
Addiere von unten nach oben. Tausche um, wenn nötig.

a) ☐☐☐ⅠⅠⅠ........
☐Ⅱ....

b) ☐☐☐☐.....
☐☐Ⅱ.....

c) ☐☐☐☐☐Ⅲ....
Ⅲ........

d) ☐☐ⅠⅠⅠⅠⅠ Ⅱ.....
☐☐☐☐Ⅰ......

e) ☐☐☐☐☐Ⅲ....
ⅠⅠⅠⅠⅠ Ⅱ..

f) ☐☐ⅠⅠⅠⅠⅠ Ⅲ...
☐☐☐☐☐ⅠⅠⅠⅠⅠ.

Seite 13 Aufgabe 3

a)
H	Z	E
3	4	7
+ 1	2	4
4	6	1 1
4	7	1

b) ...

∗ nutzen planvoll und systematisch die Struktur des Zehnersystems
∗ übertragen eine Darstellung in eine andere
∗ lösen Aufgaben zur Addition im Zahlenraum bis 1000

13

Mit ägyptischen Zahlzeichen rechnen

Erinnerst du dich an die ägyptischen Zahlzeichen?

 Eine Einkerbung in einem Kerbholz war die Zahl 1: |

 Das Joch der Ochsengespanne wurde für die Zahl 10 genommen: ∩

 Das Maßband der Landvermesser erhielt den Zahlenwert 100: ℮

Die Lotusblume wurde zum Zeichen für die Zahl 1 000:

1 Hier siehst du eine Aufstellung der Tiere, die ein ägyptischer Pharao besaß. Wie viele Tiere sind es jeweils?

a) (Ziegen) ℮℮℮ ∩∩∩∩∩ ∩ ||

b) (Schafe) ℮℮℮℮℮ ∩∩∩ ||||| |

c) (Ochsen) ℮℮℮ ∩∩∩∩∩ ∩∩ |||||

d) (Gänse) ℮℮ ∩∩∩∩∩ ||||| ||

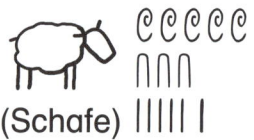

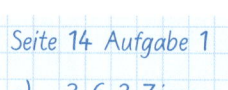 Seite 14 Aufgabe 1
a) 3 6 2 Ziegen   b) ...

2 Schreibe die Additionsaufgaben mit ägyptischen Zahlzeichen und mit unseren Zahlen in dein Heft. Addiere. Tausche um, wenn nötig.

a) Ziegen und Gänse

b) Ziegen und Ochsen

c) Schafe und Gänse

d) Ziegen und Schafe

Seite 14 Aufgabe 2

a)

				H	Z	E	b) ...
℮℮℮	∩∩∩∩∩ ∩	||		3	6	2	
℮℮	∩∩∩∩∩	||||| ||	+	2	5	7	
℮℮℮℮℮	∩∩∩∩∩ ∩∩∩∩∩ ∩	||||| ||||		5	11	9	
℮℮℮℮℮ ℮	∩	||||| ||||		6	1	9	

3 Bestimme, wie viele Tiere der Pharao bei seinen Feldzügen erbeuten konnte.

a) Erster Feldzug

vorher: ℮℮℮∩∩∩||||| ||
nachher: ℮℮℮∩∩∩∩||

b) Zweiter Feldzug

vorher: ℮℮℮℮∩∩∩
nachher: ℮℮℮℮℮∩∩

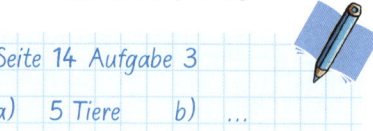

Seite 14 Aufgabe 3
a) 5 Tiere   b) ...

c) Dritter Feldzug

vorher: ℮℮℮℮℮ ∩∩|||||
nachher: ℮℮℮℮℮ ℮∩∩∩||||||

d) Vierter Feldzug

vorher: ℮℮℮∩∩∩∩∩ ∩||||
nachher: ℮℮℮∩∩∩∩∩ ∩∩|

★ nutzen planvoll und systematisch die Struktur des Zehnersystems

Mit der Übertragszahl beim Einer umgehen

1 Schreibe die Aufgaben in dein Heft.
Rechne und sprich wie Einstern.

a)

H	Z	E
5	4	3
+ 2	3	9

b)

H	Z	E
2	5	7
+ 3	3	6

c)

H	Z	E
4	8	5
+ 2	0	7

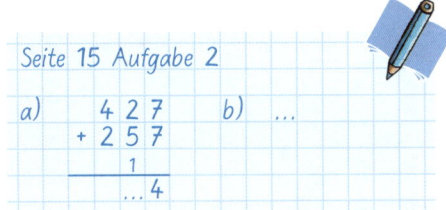

Seite 15 Aufgabe 1

a)

	H	Z	E
	5	4	3
+ 2	3	9
		1	
	7	8	2

b) ...

2 Schreibe die Aufgaben in dein Heft.
Rechne und sprich wie Einstern.

a)   4 2 7
   + 2 5 7

b)   2 3 5
   + 2 4 8

c)   4 2 5
   + 2 1 6

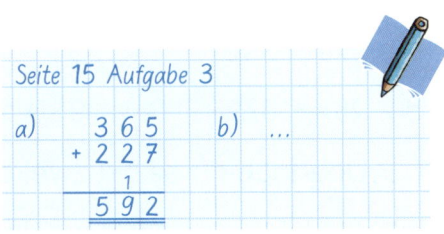

Seite 15 Aufgabe 2

a)   4 2 7
   + 2 5 7
        1
   ... 4

b) ...

3 Schreibe die Zahlen richtig untereinander.
Berechne das Ergebnis.

a) 365 + 227   b) 628 + 318   c) 456 + 38

d) 378 + 414   e) 156 + 726   f) 36 + 254

g) Überlege dir selbst zwei passende Aufgaben.

Seite 15 Aufgabe 3

a)   3 6 5
   + 2 2 7
        1
   5 9 2

b) ...

1 Schreibe die Aufgaben in dein Heft.
Rechne und sprich wie Einstern.

a)
H	Z	E
2	4	3
+ 3	7	4

b)
H	Z	E
3	5	6
+ 4	7	2

c)
H	Z	E
5	5	7
+ 2	8	1

Seite 16 Aufgabe 1

a)
	H	Z	E
	2	4	3
+	3	7	4
	1		
	6	1	7

b) ...

2 Schreibe die Aufgaben in dein Heft.
Rechne und sprich wie Einstern.

a)   1 7 4
    + 6 4 5
    ─────

b)   3 5 7
    + 2 7 2
    ─────

c)   4 4 4
    + 3 6 5
    ─────

Seite 16 Aufgabe 2

a)   1 7 4
    + 6 4 5
        1
    ... 1 9

b) ...

3 Schreibe die Zahlen richtig untereinander.
Berechne das Ergebnis.

a) 274 + 352   b) 534 + 93   c) 458 + 270

d) 267 + 672   e) 95 + 224   f) 364 + 445

g) Überlege dir selbst zwei passende Aufgaben.

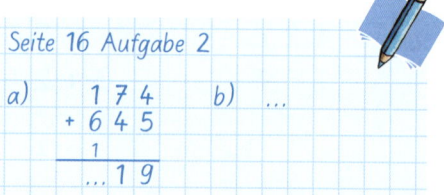

Seite 16 Aufgabe 3

a)   2 7 4
    + 3 5 2
        1
    6 2 6

b) ...

★ nutzen planvoll und systematisch die Struktur des Zehnersystems
★ wenden das Verfahren der schriftlichen Addition an

→ AH Seite 28
→ Ü Seite 23

Schriftliches Addieren üben

1 Schreibe die Aufgabe in dein Heft und löse sie
auf verschiedene Arten. Beginne beim Addieren …

a) … mit den Einern.

b) … mit den Zehnern.

c) … mit den Hundertern.

d) Besprich deine Erfahrungen mit einem
anderen Kind. Weshalb ist es sinnvoll,
mit den Einern zu beginnen?

H	Z	E
3	8	7
+ 2	3	4
▨	▨	▨

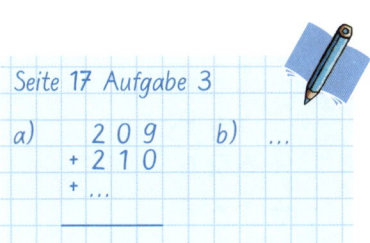
Seite 17 Aufgabe 1

2 Schreibe die Aufgaben untereinander in dein Heft.
Berechne das Ergebnis.

a) 183 + 748   b) 494 + 215   c) 387 + 169

d) 694 + 89   e) 155 + 444 + 33   f) 146 + 37 + 225

3 Berechne jeweils die Summe von
drei aufeinanderfolgenden Zahlen.

a) Die erste Zahl ist 209.

b) Die mittlere Zahl ist 330.

c) Die letzte Zahl ist 126.

d) Beschreibe einem anderen Kind, was dir bei a), b)
und c) auffällt.

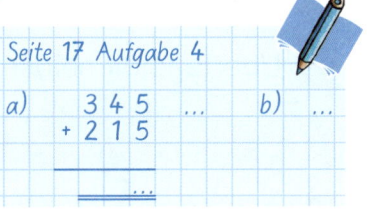
Seite 17 Aufgabe 3

4 Wähle jeweils zwei Zahlen aus und addiere sie.

| 345 | 139 | 215 | 268 | 377 | 462 | 119 | 168 |

a) Finde alle Aufgaben, bei denen die Summe
größer als 500 ist.

b) Finde alle Aufgaben, bei denen die Summe
größer als 300 und kleiner als 400 ist.

c) Besprich deine Ergebnisse einem anderen Kind.
Erklärt euch gegenseitig, wie ihr zur Lösung gekommen seid.

  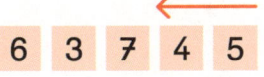 

→ AH Seite 29

* wenden das Verfahren der schriftlichen Addition an
* wenden ihre mathematischen Kenntnisse, Fähigkeiten und Fertigkeiten
bei der Bearbeitung herausfordernder und unbekannter Aufgaben an

17

1 Schreibe die Aufgaben in dein Heft und berechne
das Ergebnis. Sprich wie Einstern.

a)
```
    3 7 6
  + 2 8 8
  + 1 3 7
```

b)
```
    4 8 7
  + 1 0 9
  + 2 6 5
```

c)
```
    5 7 8
  + 2 2 9
  + 1 7 8
```

d)
```
    1 7 8
  +   4 9
  + 5 2 6
  + 1 4 6
```

e)
```
      5 8
  + 3 1 9
  + 1 7 4
  + 2 2 5
```

f)
```
    4 8 4
  +   9 5
  + 1 6 8
  + 1 6 5
```

```
Seite 18 Aufgabe 1
a)    3 7 6      b) ...
    + 2 8 8
    + 1 3 7
      2 2
      8 0 1
```

2 Schreibe die Zahlen richtig untereinander und addiere.

a) 478 + 315 + 48   b) 58 + 267 + 482

c) 395 + 187 + 78   d) 99 + 199 + 299

e) Überlege dir selbst zwei passende Aufgaben.

```
Seite 18 Aufgabe 2
a)    4 7 8      b) ...
    + 3 1 5
    +   4 8
      1 2
      8 4 1
```

3 Schreibe die Aufgaben in dein Heft.
Setze die fehlenden Ziffern ein.

a)
```
    2 4 ▦
  + ▦ 4 3
  + 4 1 0
    8 ▦ 2
```

b)
```
    2 1 0
  + 4 0 9
  + ▦ 8 ▦
    8 ▦ 4
```

c)
```
    ▦ 3 7
  + 4 5 ▦
  + 2 ▦ 8
    9 9 3
```

```
Seite 18 Aufgabe 3
a)    2 4 9     b) ...
    + □ 4 3
    + 4 1 0
        1
      8 □ 2
```

→ AH Seite 30
→ Ü Seite 24

1 Finde zuerst die passenden Aufgaben.
Übertrage sie dann in dein Heft und berechne die Summen.

a) 4 Aufgaben ohne Übertrag

b) 4 Aufgaben mit einem Übertrag

c) 4 Aufgaben mit zwei Überträgen

```
Seite 19 Aufgabe 1
a)     3 3 5   ...   b)   ...
     + 2 2 4
     ─────────
       5 5 9
```

```
  3 3 5        4 3 7        5 4 7        7 5 3        4 9 4        5 7 7
+ 2 2 4      + 5 2 4      + 1 5 4      + 1 3 4      + 2 1 4      + 2 5 4
─────────    ─────────    ─────────    ─────────    ─────────    ─────────
```

```
  5 3 7        7 8 5        3 7 6        2 5 5        3 7 4        2 6 3
+ 1 5 2      + 1 1 7      + 2 4 4      + 3 4 4      + 2 5 2      + 4 4 4
─────────    ─────────    ─────────    ─────────    ─────────    ─────────
```

2 Addiere immer zwei Zahlen. Wähle die Zahlen so aus,
dass es zwei Überträge gibt.
Trage die Übertragszahlen rot ein.

```
Seite 19 Aufgabe 2
    3 6 5   ...
  + 1 5 7
    1 1
    ─────────
    5 2 2
```

 365   416    157   578   294

3 Setze die 6 Ziffernkärtchen passend ein.
Schreibe die Aufgabe in dein Heft
und bestimme die Summe.

1 2 3 4 5 6

a)

b)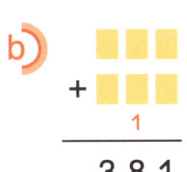

c)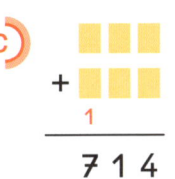

```
Seite 19 Aufgabe 3
a)  ...
```

a)
```
  ■ ■
+ ■ ■
─────
5 8 8
```

b)
```
  ■ ■ ■
+ ■ ■ ■
    1
─────
3 8 1
```

c)
```
  ■ ■ ■
+ ■ ■ ■
    1
─────
7 1 4
```

4 Finde eine Additionsaufgabe mit einem Übertrag.
Schreibe sie in dein Heft und bestimme die Summe.
Erkläre einem anderen Kind, was die Übertragszahl
bedeutet und wie sie entsteht.

```
Seite 19 Aufgabe 4
...
```

 ← 10 80 60   ← 50 30 70 40   ← 30 20 10 50 70   70   100   90

→ AH Seiten 31 und 32
→ Ü Seite 25

* wenden ihre mathematischen Kenntnisse, Fähigkeiten und Fertigkeiten
bei der Bearbeitung herausfordernder und unbekannter Aufgaben an
* erkennen mathematische Zusammenhänge und begründen diese

Fehlende Ziffern einsetzen

1 Schreibe die Aufgaben in dein Heft.
Setze die fehlenden Ziffern ein. Achte auf die Überträge.

a)
```
  4 5 ■
+ 2 6 2
───────
■ ■ 8
```

b)
```
  2 4 ■
+ ■ 8 5
───────
  6 ■ 7
```

c)
```
  ■ 4 8
+ 2 ■ 6
───────
  6 4 ■
```

d)
```
  ■ 5 4
+ 4 ■ ■
───────
  7 2 8
```

e)
```
  ■ 0 1
+ 2 ■ ■
───────
  8 0 0
```

f)
```
  2 ■ 6
+ 6 3 8
───────
  ■ ■ 7
```

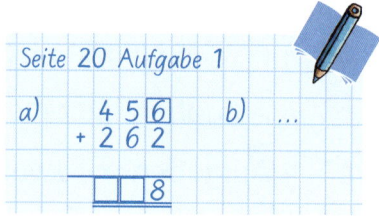

2 Ergänze die fehlenden Ziffern. Finde verschiedene Möglichkeiten.

a)
```
  ■ ■ ■
+ ■ ■ 7
───────
  4 5 3
```

b)
```
  ■ 3 ■
+ 1 ■ ■
───────
  4 8 0
```

c)
```
  ■ ■ 6
+ 3 0 ■
───────
  ■ 5 5
```

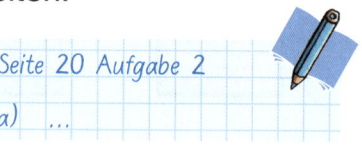

3 Setze passende Ziffern ein. Beachte: Für jedes Kästchen
einer Aufgabe soll eine andere Ziffer verwendet werden.
Finde verschiedene Möglichkeiten. Besprich deine
Ergebnisse mit einem anderen Kind. Erklärt euch gegenseitig,
wie ihr zu den Lösungen gekommen seid.

a)
```
  ■ ■ ■
+ ■ ■ ■
───────
  5 0 0
```

b)
```
  ■ ■ ■
+ ■ ■ ■
───────
  7 7 7
```

c)
```
  ■ ■ ■
+ ■ ■ ■
───────
  9 9 9
```

4 Bestimme, für welche Ziffern die Buchstaben stehen.

a)
```
  2 9 A
+ 5 A 6
  1 1
───────
  8 A 0
```

b)
```
  4 7 B
+ 1 B 3
    1
───────
  B 3 9
```

c)
```
  3 C 4
+ 3 6 C
  1 1
───────
  C 4 1
```

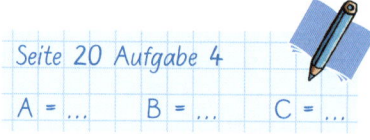

5 Bei allen 3 Aufgaben stehen gleiche Zeichen
immer für die gleiche Ziffer. Bestimme sie.

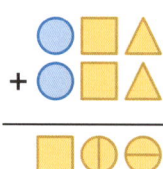
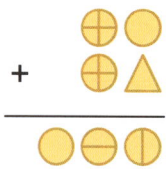
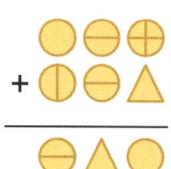

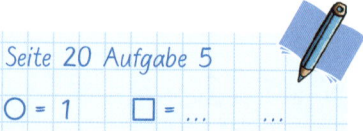

* wenden das Verfahren der schriftlichen Addition an
* wenden ihre mathematischen Kenntnisse, Fähigkeiten und Fertigkeiten
  bei der Bearbeitung herausfordernder und unbekannter Aufgaben an

1 Überlege, welchen Rechenweg du wählen würdest.
Vergleiche mit einem anderen Kind und begründe.

a) $399 + 378 = \square$ $400 + 378 - 1$ $399 \atop +378$ $400 + 377$ oder ...

Seite 21 Aufgabe 1
a) ...

b) $209 + 541 = \square$ $200 + 550$ $210 + 540$ $209 \atop +541$ oder ...

c) $374 + 226 = \square$ $374 \atop +226$ $380 + 220$ $400 + 200$ oder ...

d) $455 + 268 = \square$ $455 + 200 + 60 + 8$ $455 \atop +268$ $455 + 268 \ldots \atop 455 + 200 \ldots \atop \ldots$ oder ...

e) Schreibe eine kurze Begründung
für deine Wahl der Rechenwege bei den Aufgaben a) bis d) auf.

2 Erkläre einem anderen Kind,
wie Patrick rechnet.

Die Aufgabe $307 + 443$ rechne ich $300 + 450$.

Patrick

3 Überlege, welchen Aufgaben du im Kopf und welche du schriftlich rechnest.
Begründe und vergleiche mit einem anderen Kind.

$198 + 204 = \square$ $240 + 430 = \square$ $375 + 458 = \square$

$300 + 279 = \square$ $199 + 423 = \square$

4 Löse die Aufgaben auf deine Art, schriftlich oder im Kopf.
Schreibe deinen Rechenweg auf.

a) $598 + 236 = \square$ b) $405 + 365 = \square$ c) $236 + 340 = \square$

d) $637 + 203 = \square$ e) $278 + 354 = \square$ f) $300 + 254 = \square$

Seite 21 Aufgabe 4
a) ...

 80 50 40   70 30 20 60   80 50 30 90 70   150 130 120

★ entscheiden, welche Art der Berechnung zur Lösung sinnvoll ist
★ erkennen mathematische Zusammenhänge und begründen diese
★ vergleichen und bewerten Rechenwege

21

Die eigene Rechnung überprüfen

Ich überprüfe das Ergebnis durch Überschlag mit gerundeten Zehnerzahlen: 240 + 360 + 40 = 640

Ich rechne die Aufgabe noch mal. Jetzt aber von oben nach unten: 1 + 8 + 3 = ...

Ich prüfe, ob die Zahlen richtig untereinanderstehen. Alle Einer müssen ganz nach hinten.

Ich rechne noch mal und überprüfe so die Übertragszahlen.

Ich überprüfe immer zuerst, ob die Endziffer stimmt.

Ich prüfe das Ergebnis durch Überschlag mit gerundeten Hunderterzahlen: 200 + 400 + 0 = 600

```
  241
 +358
 +  43
 ‾1‾1‾‾
  642
```

```
  241
 +358
 +  43
```

```
  241
 +358
 +  43
```

3 + 8 + 1 = 12

 1 Wie überprüfst du das Ergebnis? Begründe deine Wahl einem anderen Kind.

2 Löse die Aufgaben im Heft.

a)
```
  286
 +308
 +157
```

b)
```
  338
 +  75
 +199
```

c)
```
  457
 +  93
 +    5
```

Seite 22 Aufgabe 2
a)
```
  286
 +308
 +157
 ‾1‾2‾
  751
```
b) ...

3 Überprüfe die Ergebnisse von Aufgabe **2** auf zwei verschiedene Arten. Sieh dir dazu die Methoden an, die die Kinder vorstellen.

4 Überprüfe die Rechnungen. Überlege, welche Methode aus deiner Sicht jeweils sinnvoll ist.

a)
```
  458
 +  37
 +365
 ‾1‾2‾
  860
```

b)
```
  362
 +  97
 +208
 ‾‾1‾‾
  567
```

c)
```
  435
 +  13
 +388
 ‾1‾1‾
  953
```

Seite 22 Aufgabe 4
a) richtig, überprüft nach
   der Methode von ...
b) ...

d)
```
  168
 +415
 +  47
 ‾1‾2‾
  631
```

e)
```
   88
 +394
 +470
 ‾2‾1‾
  952
```

f)
```
   70
 +368
 +195
 ‾2‾1‾
  633
```

5 Überlege, was beim schriftlichen Addieren wichtig ist. Schreibe auf, was dir dabei leichtfällt. Notiere, was du immer besonders beachten musst.

* überprüfen Ergebnisse auf ihre Angemessenheit
* vergleichen unterschiedliche Formen der Ergebniskontrolle und bewerten diese

Fehler und ihre Ursachen finden

1 Überprüfe die Rechnungen. Schreibe zu jeder Aufgabe auf,
ob das Ergebnis richtig oder falsch ist.

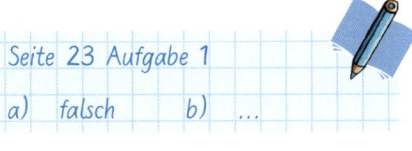

Seite 23 Aufgabe 1
a) falsch   b) ...

a)
```
   6 3 8
 + 2 9 4
 ─────────
   8 2 2
```

b)
```
   2 4 5
 + 6 7 8
   1 1
 ─────────
   9 2 3
```

c)
```
   3 2 1
 + 2 8 3
   1
 ─────────
   5 0 4
```

d)
```
   4 9 6
 + 2 1 8
   1 1
 ─────────
   7 1 4
```

e)
```
   2 9 8
 +   5 7
   1
 ─────────
   8 6 8
```

f)
```
   1 7 4
 + 4 5 9
   1 1
 ─────────
   6 3 2
```

2 Überprüfe die Aufgaben. Wenn das Ergebnis falsch ist, bestimme die richtige
Lösung. Schreibe deine Rechnung oder nur das richtige Ergebnis auf.

Seite 23 Aufgabe 2
a) 3 8 4   b) ...

a)
```
   1 2 8
 + 2 5 6
 ─────────
   3 7 4
```

b)
```
   2 4 7
 + 4 5 9
   1 1
 ─────────
   7 0 6
```

c)
```
   5 3 6
 + 2 4 7
   1
 ─────────
   7 8 2
```

d)
```
   1 2 3
 + 3 8 5
 + 2 4 6
   1 1
 ─────────
   7 4 4
```

e)
```
   2 3 7
 + 2 9 6
 +   4 5
   2 1
 ─────────
   9 8 3
```

f)
```
   3 5 4
 + 2 7 2
 + 1 0 6
   1 1
 ─────────
   7 3 2
```

3 Hier wurden einige Aufgaben falsch gelöst.
Suche sie und gib an, welcher Fehler gemacht wurde.

A: Übertrag vergessen   B: Fehler beim Addieren
C: Aufgaben falsch untereinander geschrieben

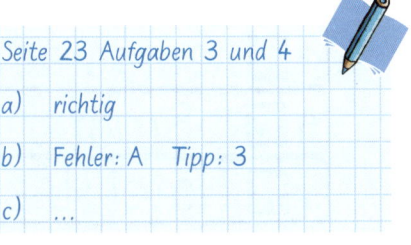

Seite 23 Aufgaben 3 und 4
a) richtig
b) Fehler: A   Tipp: 3
c) ...

a)
```
   5 8 3
 + 3 7 1
   1
 ─────────
   9 5 4
```

b)
```
   5 4 6
 + 2 1 7
 ─────────
   7 5 3
```

c)
```
   2 3 7
 + 5 3 6
   1
 ─────────
   7 6 3
```

d)
```
   4 2 5
 +   5 4
 ─────────
   9 6 5
```

e)
```
   2 6 8
 + 3 2 9
   1
 ─────────
   5 9 7
```

f)
```
   5 8 1
 + 2 3 4
 ─────────
   7 1 5
```

4 Finde mit einem Partnerkind für jede falsche Aufgabe
bei **3** den passenden Tipp:

1 richtig addieren   2 stellengerecht untereinanderschreiben   3 Übertrag beachten

→ Ü Seite 26

* überprüfen Ergebnisse, finden und korrigieren Fehler
* kategorisieren unterschiedliche Fehlerquellen und leiten Vermeidungsstrategien ab

1 Am letzten Wochenende zählte man im Zirkus Pimpinelli die Zuschauer:

	Fr.	Sa.	So.
Erwachsene	225	357	283
Kinder	147	296	329

a) Wie viele Personen besuchten die Vorstellung am Sonntag?

b) Wie viele Kinder waren insgesamt im Zirkus?

c) An welchem Tag waren die meisten Besucher im Zirkus?

d) An welchem Tag waren die wenigsten Besucher im Zirkus?

e) Finde weitere Fragen und beantworte sie.

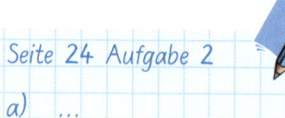

Seite 24 Aufgabe 1

a)
```
    2 8 3
  + 3 2 9
  -------
     ...
```
Am Sonntag besuchten ...

b) ...

2 Die Schillerschule besteht aus zwei Gebäuden. In Gebäude A werden fünf Klassen mit folgenden Schülerzahlen unterrichtet: 24, 28, 26, 27, 22. In Gebäude B sind zwölf Klassen mit insgesamt 312 Kindern untergebracht. In der Schule unterrichten 24 Lehrerinnen und Lehrer. Eine Sekretärin und ein Hausmeister gehören außerdem zur Schule.

a) Wie viele Personen sind in der Schule, wenn alle anwesend sind?

b) Finde selbst weitere passende Fragen und beantworte sie.

Seite 24 Aufgabe 2

a) ...

3 In Herrenberg gibt es insgesamt vier Parkhäuser:

→ P Bahnhof 328
↑ P Kaufparadies 280
↖ P Bronntor 195
↑ P Hotel Hasen 84

a) Wie viele Autos können in Herrenberg höchstens im Parkhaus parken?

b) Finde weitere Fragen und beantworte sie.

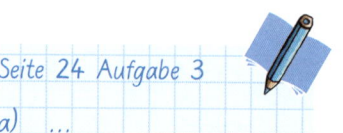

Seite 24 Aufgabe 3

a) ...

4 Erfinde eine Sachaufgabe mit Frage, Rechnung und Antwort. Stelle sie einem anderen Kind vor. Überprüft gemeinsam das Ergebnis.

* entnehmen Darstellungen der Lebenswirklichkeit Informationen und übersetzen diese in die Sprache der Mathematik
* wenden das Verfahren der schriftlichen Addition an

→ AH Seite 33

Bundesjugendspiele – Leichtathletik – Jungen
Punktetabelle

Schlagballweitwurf

Meter	20,5	21,0	21,5	22,0	22,5	23,0	23,5	24,0	24,5	25,0	25,5	26,0	26,5	27,0	27,5	28,0	28,5	29,0	29,5	30,0	30,5	31,0	31,5	32,0	32,5
Punkte	157	162	166	171	176	181	186	190	195	200	204	209	213	217	222	226	230	235	239	243	247	251	255	259	263
Meter	33,0	33,5	34,0	34,5	35,0	35,5	36,0	36,5	37,0	37,5	38,0	38,5	39,0	39,5	40,0	40,5	41,0	41,5	42,0	42,5	43,0	43,5	44,0	44,5	45,0
Punkte	267	271	275	279	283	287	290	294	298	302	305	309	313	316	320	323	327	331	334	338	341	345	348	351	355

50-m-Lauf

Sekunden	12,9	12,8	12,7	12,6	12,5	12,4	12,3	12,2	12,1	12,0	11,9	11,8	11,7	11,6	11,5	11,4	11,3	11,2	11,1	11,0	10,9	10,8	10,7	10,6	10,5
Punkte	2	6	10	15	19	24	28	33	37	42	47	52	57	62	67	73	78	84	89	95	101	107	113	119	125
Sekunden	10,4	10,3	10,2	10,1	10,0	9,9	9,8	9,7	9,6	9,5	9,4	9,3	9,2	9,1	9,0	8,9	8,8	8,7	8,6	8,5	8,4	8,3	8,2	8,1	8,0
Punkte	131	138	144	151	158	165	172	179	187	194	202	210	218	226	234	243	252	261	270	279	289	299	309	319	330

Weitsprung

Meter	2,33	2,37	2,41	2,45	2,49	2,53	2,57	2,61	2,65	2,69	2,73	2,77	2,81	2,85	2,89	2,93	2,97	3,01	3,05	3,09	3,13	3,17	3,21	3,25	3,29
Punkte	171	177	183	189	195	201	206	212	218	223	229	234	240	245	251	256	261	266	272	277	282	287	292	297	302
Meter	3,33	3,37	3,41	3,45	3,49	3,53	3,57	3,61	3,65	3,69	3,73	3,77	3,81	3,85	3,89	3,93	3,97	4,01	4,05	4,09	4,13	4,17	4,21	4,25	4,29
Punkte	308	313	317	322	327	332	337	342	347	351	356	361	366	370	375	379	384	389	393	398	402	407	411	416	420

> Ich bin 3,33 m weit gesprungen. Das gibt 308 Punkte.

Alter	Siegerurkunde	Ehrenurkunde
8 Jahre	ab 450 Punkte	ab 575 Punkte
9 Jahre	ab 525 Punkte	ab 675 Punkte
10 Jahre	ab 600 Punkte	ab 775 Punkte

1 Werte die Ergebnisse bei den Bundesjugendspielen für Paul und Janek aus.

a) Lies die Punktzahlen für diese Ergebnisse ab.

	Paul	Janek
Schlagballweitwurf:	31 m	33 m
50-m-Lauf:	8,1 s	9,2 s
Weitsprung:	3,29 m	2,41 m

Seite 25 Aufgabe 1
a) Paul
Schlagballweitwurf: 251 Punkte
⋮
b) …

b) Berechne die Gesamtpunktzahlen für Paul und Janek.

c) Paul und Janek sind beide 9 Jahre alt.
Ermittle, welche Urkunde sie bekommen.

d) Berechne, wie viele Punkte Janek für die Ehrenurkunde fehlen.

e) Ergänze die Aussagen:
Für eine Ehrenurkunde müsste er ▢ m weiter werfen oder ▢ m weiter springen.

2 Schreibe selbst eine Rechengeschichte zum Thema „Bundesjugendspiele".
Stelle sie einem anderen Kind vor.

Seite 25 Aufgabe 2
…

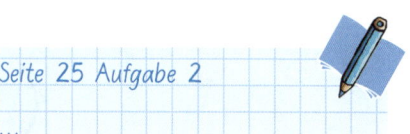

★ entnehmen Tabellen relevante Daten und ziehen sie zur Beantwortung von Fragen heran
★ formulieren zu schülerrelevanten Situationen Rechengeschichten und mathematische Fragestellungen

Additionsaufgaben zusammenstellen und lösen

1 Verwende Ziffernkarten mit den Ziffern von 1 bis 9. Jede Ziffernkarte gibt es nur einmal. Lege zuerst folgende Aufgaben. Schreibe sie dann in dein Heft und bestimme das Ergebnis:

a) mindestens vier Additionsaufgaben mit zwei dreistelligen Zahlen

Seite 26 Aufgabe 1

a) ...

b) eine Additionsaufgabe mit zwei dreistelligen Zahlen, die ein möglichst kleines Ergebnis hat

c) eine Additionsaufgabe mit einem möglichst großen Ergebnis

d) eine Additionsaufgabe mit zwei dreistelligen Zahlen: Vertausche zwei Kärtchen so, dass sich die Summe nicht verändert.

e) eine Aufgabe mit dem Ergebnis 1 000

f) Besprich deine Ergebnisse mit einem Partner.

2 Würfelspiel: Nicht mehr als 600!

Suche dir ein Partnerkind.
Würfelt abwechselnd mit drei Würfeln. Bildet damit dreistellige Zahlen. 135 oder 315 oder 513 oder …
Schreibt je zwei von ihnen untereinander und addiert sie.
Gewonnen hat, wer am nächsten an 600 kommt.
Mehr als 600 dürft ihr nicht erhalten.

Seite 26 Aufgabe 2

```
  1 3 5        3 1 5
+ 3 5 1      + 1 5 3
--------      --------
    ...          ...
```

3 Rechne die Additionsaufgaben. Finde die Regel. Bilde ähnliche Aufgaben.

```
  1 2 3        4 3 2        2 4 6
+ 3 2 1      + 2 3 4      + 6 4 2
--------      --------      --------
```

Seite 26 Aufgabe 3

```
  1 2 3      ...
+ 3 2 1
--------
    ...
```

4 Addiere zu den angegebenen Zahlen immer ihre Spiegelzahl. Gehe mit den Ergebniszahlen genauso vor. Nach wie vielen Rechnungen erhältst du eine Ergebniszahl, die selbst eine Spiegelzahl ist? Besprich deine Rechnungen mit einem anderen Kind.

a) 172   **b)** 243

c) 153   **d)** 361

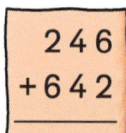

Die Spiegelzahl erhältst du, wenn du eine Zahl rückwärts liest: 172 → 271.

Seite 26 Aufgabe 4

```
a)    1 7 2        4 4 3      b)  ...
    + 2 7 1      + 3 4 4
    --------      --------
      1
      4 4 3        7 8 7
```

★ erkennen mathematische Zusammenhänge und begründen diese

Additionsaufgaben bilden – verschiedene Möglichkeiten finden

1   Bilde aus diesen Ziffernkärtchen alle sechs möglichen dreistelligen Zahlen.

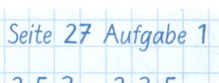

Seite 27 Aufgabe 1

2 5 3, 2 3 5, ...

2 Stelle aus den verschiedenen Zahlen von Aufgabe **1** verschiedene Additionsaufgaben zusammen.

a) Schreibe sie in dein Heft und löse sie.

b) Suche dir ein anderes Kind. Vergleicht eure Aufschriebe.

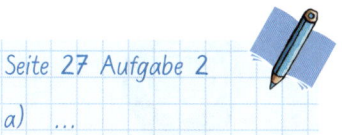

Seite 27 Aufgabe 2

a) ...

3

Jedes Ziffernkärtchen darf bei einer Rechnung nur einmal verwendet werden.

a)
  8 8 8

Finde gemeinsam mit einem Partnerkind verschiedene Rechnungen. Setzt dazu die Ziffernkärtchen ein.
Schreibt die Aufgaben ins Heft.

Seite 27 Aufgabe 3

a) ...

b) Lea hat 12 Rechnungen gefunden.
Überlegt gemeinsam, ob das alle sind.

4 Arbeite gemeinsam mit einem Partnerkind.

a) Bildet aus diesen Ziffernkärtchen alle sechs möglichen dreistelligen Zahlen.

b) Bildet aus zwei dieser Zahlen die Additionsaufgabe mit der kleinsten Summe.

c) Bildet aus zwei dieser Zahlen die Additionsaufgabe mit der größten Summe.

d) Besprecht folgende Aussage:
Mit den Zahlen aus Aufgabe a) kann man 30 verschiedene Additionsaufgaben mit je zwei unterschiedlichen Zahlen bilden.
Es gibt dabei 15 unterschiedliche Ergebnisse.

Seite 27 Aufgabe 4

a) ...

★ finden verschiedene bzw. alle möglichen Ziffern und Zahlenkombinationen durch systematisches und zielorientiertes Probieren
★ wenden ihre mathematischen Kenntnisse, Fähigkeiten und Fertigkeiten bei der Bearbeitung herausfordernder und unbekannter Aufgaben an

Uhren und ihre Funktionen kennenlernen

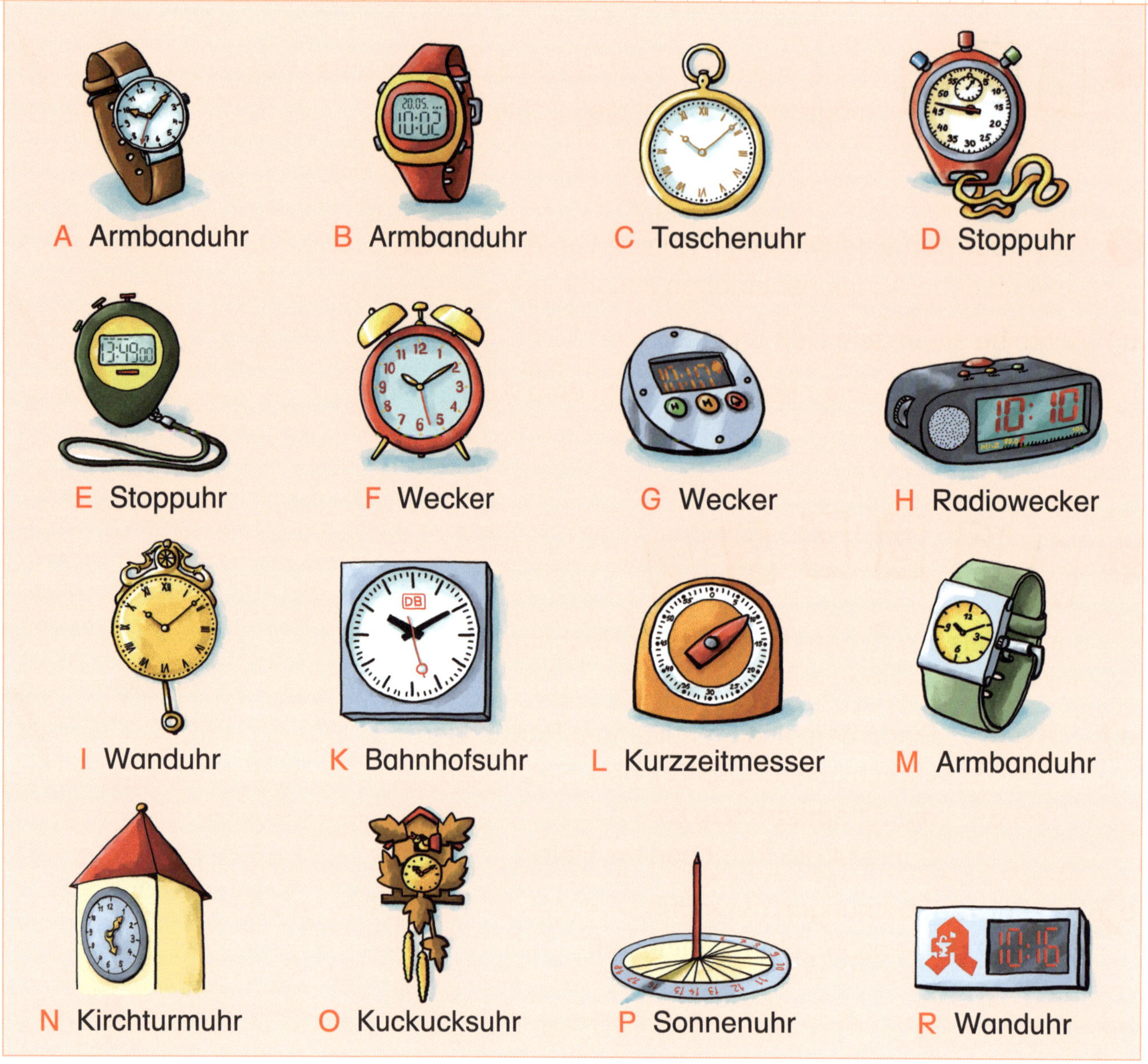

A Armbanduhr
B Armbanduhr
C Taschenuhr
D Stoppuhr
E Stoppuhr
F Wecker
G Wecker
H Radiowecker
I Wanduhr
K Bahnhofsuhr
L Kurzzeitmesser
M Armbanduhr
N Kirchturmuhr
O Kuckucksuhr
P Sonnenuhr
R Wanduhr

1 Schreibe auf, was diese Uhren jeweils anzeigen.
Schreibe die genaue Angabe dazu.

a) nur Stunden
b) Stunden und Minuten
c) Stunden, Minuten und Sekunden
d) Zeitdauer in Sekunden sowie Minuten und Sekunden

Seite 28 Aufgabe 1
a) nur Stunden: P - 16 Uhr
b) Stunden und Minuten: B - 10.02 Uhr
...

2 Besprich mit einem anderen Kind, wo ihr diese Uhren finden könnt und wozu man sie benötigt.

3 Du kannst gemeinsam mit anderen Kindern in Prospekten und Zeitschriften Abbildungen von Uhren suchen und eine Collage gestalten.

* erkennen und benennen verschiedene Zeitmessinstrumente und ihren Anwendungsbereich im Alltag

Zur Tageszeit passende Uhrzeiten ablesen

 1 Suche dir ein anderes Kind.
Stelle auf der Uhr eine Zeit
ein und nenne eine passende
Tätigkeit für diese Uhrzeit.
Das andere Kind nennt
die passende Uhrzeit.
Tauscht dann auch
die Rollen.

Ich wache auf.

Es ist 6.30 Uhr.

2 Lies jeweils die beiden möglichen Uhrzeiten ab
und schreibe sie auf.

 a)    b)  c)

Seite 29 Aufgabe 2
a) 6.10 Uhr, 18.10 Uhr
b) ...

 d)    e)  f)  g)

3 Schreibe die zur Tageszeit passende Uhrzeit auf.

 a)  b)  c)

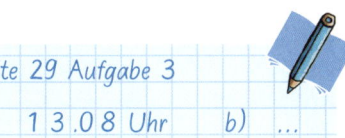

Seite 29 Aufgabe 3
a) 13.08 Uhr   b) ...

Mittag Morgen Abend

 d)  e)  f)  g)

Abend Nacht Nachmittag Morgen

 54 30 70
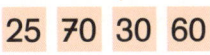 25 70 30 60
42 50 20 70 80
 85   124   122

→ Ü Seite 27

★ lesen Uhrzeiten auf analogen Uhren ab
★ lesen die auf die Tageszeit bezogene Uhrzeit passend ab

Unterschiedliche Zeitangaben kennenlernen

Zu einer Uhrzeit kann man verschiedene Angaben machen.

9.45 Uhr
Viertel vor 10
drei viertel 10

11.30 Uhr
halb 12

8.15 Uhr
Viertel nach 8
viertel 9

1 Schreibe folgende Zeitangaben mit Zahlen auf:

a) halb drei

b) halb acht

c) Viertel nach zehn

d) Viertel vor eins

e) fünf nach halb vier

f) sechs nach fünf

g) zwölf vor sechs

h) drei viertel neun

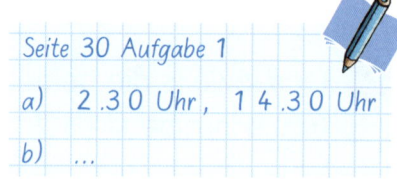

Seite 30 Aufgabe 1
a) 2.30 Uhr, 14.30 Uhr
b) ...

2 Suche dir ein anderes Kind.
Stellt Uhrzeiten auf der Uhr ein.
Nennt zu jeder Uhrzeit vier
verschiedene Angaben.

Aber auch 19.15 Uhr oder viertel 8

7.15 Uhr oder Viertel nach 7

3 Überprüfe die Zeitangaben.
Schreibe auf, welche jeweils falsch sind.

a)
A: 19.15 Uhr
B: viertel acht
C: 15.07 Uhr
D: Viertel nach sieben

Seite 30 Aufgabe 3
a) C   b) ...

b)
A: 29 Minuten nach 8 Uhr
B: 29.20 Uhr
C: 31 Minuten vor 9 Uhr
D: 1 Minute vor halb 9

c)
A: 6 Minuten vor 12 Uhr
B: 12.54 Uhr
C: 54 Minuten nach 11 Uhr
D: 23.54 Uhr

★ nutzen im Alltag gebräuchliche Bruchzahlen im Zusammenhang mit Größen
   und stellen derartige Größen in anderen Schreibweisen dar
★ überprüfen Zeitangaben und finden Fehler

Der kleine Zeiger (Stundenzeiger) braucht eine Stunde (60 Minuten), um von einer Zahl zur nächsten zu wandern.

Der dünne lange Zeiger (Sekundenzeiger) zeigt an, wie viele Sekunden seit der letzten vollen Minute vergangen sind. Auch für ihn gelten die Minutenstriche an der Uhr. Wenn er einmal im Kreis herumgewandert ist, sind 60 Sekunden vergangen. Das ist genau eine Minute.

Der große Zeiger (Minutenzeiger) zeigt an, wie viele Minuten seit der letzten vollen Stunde vergangen sind. Wenn er einmal im Kreis herumgewandert ist, sind 60 Minuten vergangen. Das ist genau eine Stunde.

Das ist der Sekundenzeiger.

| 1 Stunde = 60 Minuten |
| 1 h = 60 min |

| 1 Minute = 60 Sekunden |
| 1 min = 60 s |

---

1 Lies die Uhrzeiten auf die Sekunde genau ab und schreibe sie auf.

a)
b)
c)

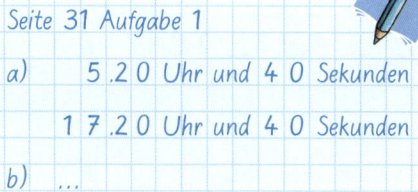
Seite 31 Aufgabe 1
a)   5 . 2 0 Uhr und 4 0 Sekunden
    1 7 . 2 0 Uhr und 4 0 Sekunden
b) ...

d)
e)
f)

g) h) i)

Es ist 10.10 Uhr und 30 Sekunden.

k)
l)
m)

→ AH Seite 34
→ Ü Seite 28

* verwenden die Angabe des Sekundenzeigers beim Bestimmen der genauen Uhrzeit

Uhrzeiten von Digitalanzeigen ablesen

Bei manchen Uhren ist die Uhrzeit mit Zahlen dargestellt.
Diese Uhren werden Digitaluhren genannt.

Bei einer normalen Digitaluhr heißt das:
10.32 Uhr und 43 Sekunden. Man spricht:
„10 Uhr 32 und 43 Sekunden."

Manche Digitaluhren haben nur eine 12-Stunden-Anzeige.
Zur Unterscheidung der Tageszeit zeigen sie von 12.00 Uhr
Mitternacht bis 11.59 Uhr vormittags zusätzlich „am" an.
Das ist eine Abkürzung aus dem Lateinischen
und heißt „ante meridiem" (vormittags). Von 12.00 Uhr
Mittag bis 11.59 Uhr nachts zeigen sie zusätzlich „pm" an.
Das heißt „post meridiem" (nachmittags).

10.32 Uhr und 43 Sekunden

22.32 Uhr und 43 Sekunden

1 Schreibe die genauen Uhrzeiten in dein Heft.

a) `03:54 16`

b) `14:58 54`

c) `20:00 02`

d) `00:18 34`

e) `4:12 15 PM`

f) `10:07 48 AM`

Seite 32 Aufgabe 1

	Anzeige	Uhrzeit	Tageszeit
a)	0 3 : 5 4 1 6	3.54 Uhr und	Nacht
		1 6 Sekunden	
b)	...		

2 Übertrage die Tabelle in dein Heft und trage die vorgegebenen Uhrzeiten ein.
Fülle die Tabelle vollständig aus.

Seite 32 Aufgabe 2

	1 Stunde früher	1 Sekunde früher	Anzeige	1 Sekunde später	1 Stunde später
a)	1 2 : 5 8 5 9	1 3 : 5 8 5 8	1 3 : 5 8 5 9	1 3 : 5 9 0 0	1 4 : 5 8 5 9
b)			...		

a) `13:58 59`

b) `4:09 59`

c) `23:59 00`

d) `08:12 00 PM`

e) `23:59 59`

f) `11:59 59 AM`

⋆ lesen Uhrzeiten auf digitalen Uhren ab
⋆ nutzen die Darstellungsform Tabelle zum Bearbeiten mathematischer Probleme

 1 Suche dir ein anderes Kind. Schätzt immer zuerst, wie lange ihr braucht.
Führt dann die Tätigkeiten aus und messt die Zeitdauer mit der Stoppuhr.

10 Kniebeugen machen

die Schultasche ein- und auspacken

alle Monatsnamen nennen

von 1 bis 50 zählen

10 Stifte anspitzen

die Hände waschen

Wie lange brauchst du für 10 Kniebeugen?

20 Sekunden

 2 Suche und bestimme gemeinsam
mit einem anderen Kind Tätigkeiten, die

a) 1 Sekunde dauern,

b) 10 Sekunden dauern,

c) 30 Sekunden dauern.

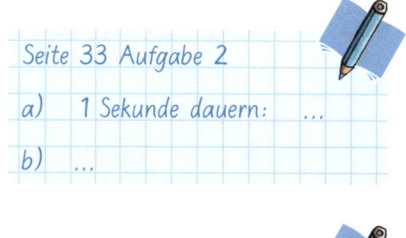

Seite 33 Aufgabe 2
a)   1 Sekunde dauern: ...
b)   ...

3 Schreibe Tätigkeiten oder Vorgänge
aus deinem Tagesablauf auf.
Ergänze immer die Zeitdauer.
Du kannst schätzen oder messen.

Seite 33 Aufgabe 3
...

4 Wie viel Zeit liegt etwa dazwischen?
Ordne den Bildern die passende Zeiteinheit zu:

Jahr, Monat, Woche, Tag, Stunde, Minute, Sekunde

a)    b)    c)

Seite 33 Aufgabe 4
a)   Sekunde   b)   ...

d)    e)    f)    g)

★ verwenden verschiedene Zeiteinheiten für die Beschreibung der Dauer von Alltagshandlungen
★ vermuten die Zeitdauer von Alltagshandlungen und überprüfen mit Zeitmessinstrumenten
★ finden Repräsentanten für unterschiedliche Zeitspannen

Zeitangaben umwandeln

1 Stunde = 60 Minuten
1 h   = 60 min

1 Minute = 60 Sekunden
1 min   = 60 s

1 Wandle um.

a) Schreibe als Minuten:
1 h, 1 h 20 min, 1 h 40 min, 2 h,
2 h 8 min, 2 h 35 min, 3 h, 3 h 10 min

b) Schreibe als Stunden und Minuten:
60 min, 70 min, 95 min, 120 min, 160 min, 172 min

c) Schreibe als Sekunden:
1 min, 2 min, 4 min, 5 min, 1 min 10 s, 1 min 20 s, 2 min 5 s

d) Schreibe als Minuten und Sekunden:
60 s, 80 s, 100 s, 120 s, 200 s, 65 s, 138 s

Seite 34 Aufgabe 1

a) 6 0 min , 8 0 min , ...

b) 1 h , 1 h 1 0 min , ...

c) 6 0 s , ...

d) 1 min , ...

2 Ordne die Zeitangaben der Größe nach.

67 s	1 min 4 s	220 s
60 s 250 s	2 min	1 min 58 s
50 s	4 min	300 s

Seite 34 Aufgabe 2

...

3 Alle Kinder waren auf der Fahrt in den Urlaub lange unterwegs.

Tim: 8 Stunden 20 Minuten   Lea: 350 Minuten
Ole: von 7.15 Uhr bis 13.30 Uhr   Maja: siebeneinhalb Stunden

a) Wandle alle Zeitangaben in die gleiche Einheit um.

b) Vergleiche die Angaben.

Seite 34 Aufgabe 3

a) Tim: ...   b) ...

4 Gestalte mit einem anderen Kind ein Lernplakat
zu Zeitspannen. Du kannst diese Anregungen verwenden:

1 Minute = ▮ Sekunden   120 Minuten = ▮ Stunden

1 Tag = ▮ Stunden   1 Viertelstunde = ▮ Minuten

  15 26 80   23 17 81 60   54 25 41 82 30   95   83   84

34
★ zerlegen Einheiten innerhalb eines Größenbereichs und wandeln Einheiten um
★ ordnen und vergleichen Zeitspannen
★ gestalten und präsentieren ein Lernplakat zu Zeitspannen in verschiedenen Einheiten

→ Ü Seite 29

1 Tim hat beim 50-m-Schwimmen genau 1 Minute 26 Sekunden (1 min 26 s) benötigt. Bei den anderen Kindern wurden folgende Zeiten gestoppt:

Lisa: 100 s   Patrick: 1 min 38 s   Lea: 83 s
Lena: 99 s   Paul: 2 min 30 s   Maja: 1 min 59 s

a) Schreibe alle Zeiten in Sekunden sowie in Minuten und Sekunden in dein Heft.

b) Wer war am schnellsten?
Wer hat die meiste Zeit benötigt?

c) Wie groß ist der Unterschied zwischen dem schnellsten und dem langsamsten Schwimmer?

d) Janek schwimmt 100 m in 2 min 40 s. Schwimmt er schneller als die anderen?

e) Schreibe Vergleiche auf, z. B.: Lisa braucht 1 s länger als Lena.

> Seite 35 Aufgabe 1
> a)   Lisa: 1 0 0 s = 1 min 4 0 s
>   ⋮
> b)   ...

 2 Bestimme gemeinsam mit anderen Kindern mit der Stoppuhr, wie lange ihr jeweils ein Buch mit gestrecktem Arm waagerecht halten könnt. Schreibt die Zeiten auf einen Zettel. Erstellt eine Rangfolge und vergleicht die Ergebnisse.

Paul
52 s

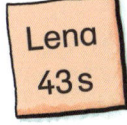
Lena
43 s

Ole
41 s

3 Schreibe in dein Lerntagebuch, welche Tätigkeiten und dazu passende Zeitangaben du kennengelernt und dir gemerkt hast.

★ entnehmen Sachsituationen relevante Informationen
★ wenden ihre Kenntnisse beim Lösen von alltagsorientierten Sachsituationen an
★ bestimmen durch eigenes Experimentieren Daten und vergleichen Ergebnisse

1 Jahr = 365 Tage
1 Jahr = 52 Wochen
1 Jahr = 12 Monate

1 Tag hat 24 Stunden.
1 Woche hat 7 Tage.

1 Überprüfe die Aussagen der Kinder.
Schreibe „richtig" oder „falsch" in dein Heft.

Seite 36 Aufgabe 1
a) richtig   b) …

a) Lea: Meine Schwester ist 3 Jahre alt.
Sie ist schon mehr als 1 000 Tage auf der Welt.

b) Paul: Ich bin 9 Jahre und 6 Wochen alt.
Das sind mehr als 500 Wochen.

c) Tim: Ich gehe an 5 Tagen der Woche zur Schule.
An 60 Wochentagen im Jahr habe ich frei.
Die restliche Schulzeit dauert länger als 40 Wochen.

d) Lena: Auf meiner CD ist noch Platz für 12 Minuten Musik.
Ich kann noch folgende 3 Lieder auf die CD brennen:
1. Lied: 3 min 50 s
2. Lied: 4 min 20 s
3. Lied: 3 min 40 s

e) Sofie: Meine Oma wohnt in Berlin im 9. Stock eines Hochhauses.
Der Fahrstuhl braucht von einem Stockwerk zum nächsten 6 Sekunden.
Ich brauche mit dem Fahrstuhl weniger als 1 Minute,
bis ich oben bei meiner Oma bin.

f) Maja: Ich brauche für meinen Weg zur Schule 15 Minuten.
In einer Woche dauert mein Schulweg (Hin- und Rückweg)
insgesamt mehr als zwei Stunden.

g) Patrick: Ich schwimme 25 m in 45 Sekunden.
Mein Freund braucht für 50 m 2 Minuten.
Ich habe ein höheres Tempo als er.

h) Lisa: Ich benötige für meinen Weg zur Schule 20 Minuten.
Zu zweit benötigen wir 10 Minuten.

i) Ole: Mein Vater hat im Jahr 6 Wochen Urlaub und
100 Tage am Wochenende oder an Feiertagen frei.
Er geht an mehr als 250 Tagen im Jahr arbeiten.

★ hinterfragen und überprüfen Aussagen auf ihre Plausibilität
★ rechnen mit Zeitangaben in unterschiedlichen Maßeinheiten

Mit Zeitunterschieden in Stunden und Minuten rechnen

1 Bestimme die Uhrzeiten. Du kannst eine Lernuhr benutzen.

a)  25 min später

b)  50 min später

c)  30 min früher

d)  45 min früher

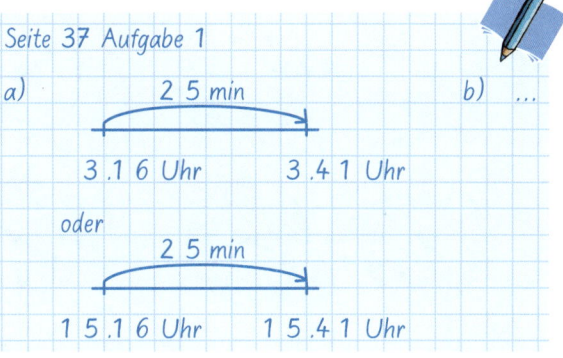

Seite 37 Aufgabe 1

a)   25 min   b) ...

3.16 Uhr   3.41 Uhr

oder

25 min

15.16 Uhr   15.41 Uhr

2 Majas Bus zur Schule fährt ab 7.00 Uhr alle 25 Minuten.

a) Berechne die Abfahrtszeiten bis 12.00 Uhr.

b) Auf dem Rückweg fährt der Bus an der Schule um 11.50 Uhr ab, danach alle 14 Minuten. Berechne die Abfahrtszeiten zwischen 12.00 Uhr und 14.00 Uhr.

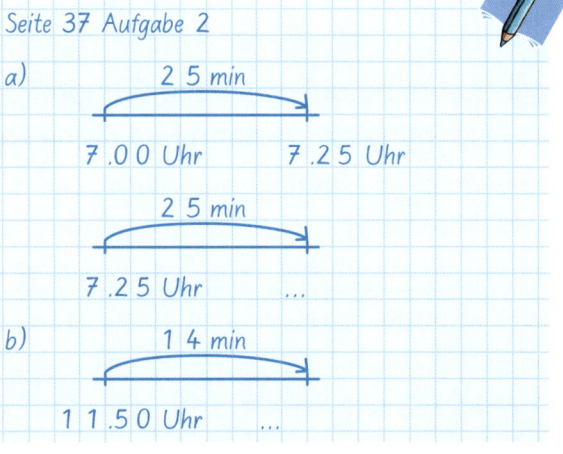

Seite 37 Aufgabe 2

a)   25 min

7.00 Uhr   7.25 Uhr

25 min

7.25 Uhr   ...

b)   14 min

11.50 Uhr   ...

3 Berechne, wie spät es ist.

a)  4 h früher

b)  2 h später

c)  3 h 10 min früher

d)  1 h 10 min später

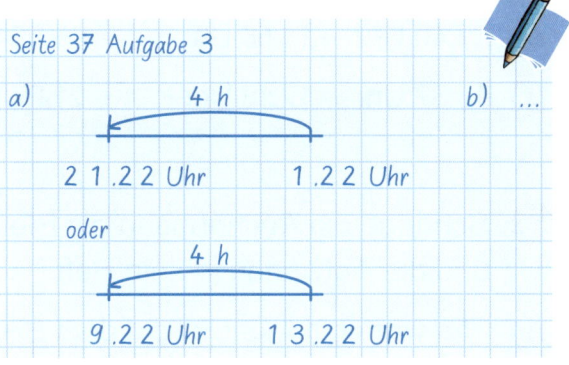

Seite 37 Aufgabe 3

a)   4 h   b) ...

21.22 Uhr   1.22 Uhr

oder

4 h

9.22 Uhr   13.22 Uhr

4 Die Badezeit im Hallenbad beträgt 1 h 30 min.

a) Berechne, wann Lisa bei folgenden Eintrittszeiten das Schwimmbad wieder verlassen muss:
13.30 Uhr   14.50 Uhr   12.23 Uhr   11.38 Uhr

b) Berechne, wann Lisa frühestens ihre Karte lösen kann, wenn sie zu folgenden Zeiten das Schwimmbad verlassen möchte:
9.15 Uhr   12.40 Uhr   19.08 Uhr   17.32 Uhr

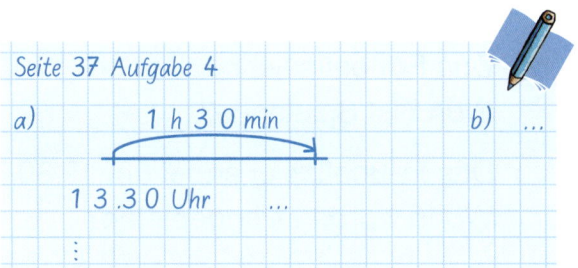

Seite 37 Aufgabe 4

a)   1 h 30 min   b) ...

13.30 Uhr   ...

→ AH Seite 35

★ berechnen Anfangs- und Endzeitpunkte und notieren Ergebnisse auch in gemischter Schreibweise
★ nutzen die Operatordarstellung als Hilfe beim Lösen von Sachaufgaben

Zeitdauer bestimmen

1 Berechne in Schritten, wie viele Minuten vergangen sind.

a)  → b) →

c) → d) →

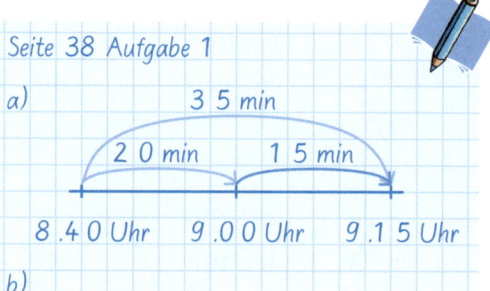

Seite 38 Aufgabe 1

a) 35 min / 20 min / 15 min / 8.40 Uhr / 9.00 Uhr / 9.15 Uhr

b) ...

e) 7.40 Uhr → 8.08 Uhr f) 9.35 Uhr → 10.12 Uhr

g) 14.37 Uhr → 15.18 Uhr h) 21.57 Uhr → 22.28 Uhr

2 Schreibe auf, wie viele Stunden und Minuten vergangen sind. Du kannst schrittweise rechnen und deine Rechenschritte in einem Pfeilbild darstellen.

4 h 70 min = 5 h 10 min / 55 min / 4 h / 15 min / 9.05 Uhr 10 Uhr / 14 Uhr 14.15 Uhr oder 5 h 10 min / 5 h / 10 min / 9.05 Uhr / 14.05 Uhr 14.15 Uhr

a) 9.05 Uhr → 14.15 Uhr b) 16.50 Uhr → 23.20 Uhr

c) 14.35 Uhr → 20.55 Uhr d) 15.38 Uhr → 18.22 Uhr

e) 7.40 Uhr → 11.58 Uhr f) 9.35 Uhr → 13.12 Uhr

g) 14.37 Uhr → 17.18 Uhr h) 21.57 Uhr → 23.28 Uhr

Seite 38 Aufgabe 2

a) ...

3 Schreibe die Rechnungen als Pfeilbilder und die Antworten in dein Heft.

a) Tim war ab 14.45 Uhr auf dem Sportplatz.
Lea kommt um 15.20 Uhr.
Wie lange ist Tim schon da?

Seite 38 Aufgabe 3

a) ...

b) Das Fußballspiel beginnt um 16.10 Uhr und dauert mit Pause 1 h 50 min.
Wann ist Spielende?

c) Das Fußballspiel endet um 17.30 Uhr. Es dauerte mit Pause 1 h 45 min.
Wann wurde es angepfiffen?

4 Erfinde selbst weitere Rechengeschichten
und bitte ein anderes Kind, diese zu lösen.

Seite 38 Aufgabe 4

...

★ berechnen Zeitspannen und berücksichtigen dabei die Besonderheit des Größenbereichs Zeit
★ verwenden Skizzen zum Bestimmen von Zeitspannen in mehreren Schritten
★ nutzen selbstständig Skizzen als Bearbeitungshilfen zur Lösung von Sachaufgaben

→ AH Seiten 36 und 37
→ Ü Seite 30

Mit der Zeitdauer rechnen

Tims Stundenplan

	Montag	Dienstag	Mittwoch	Donnerstag	Freitag
8.00 – 8.45 Uhr	Deutsch	Mathematik	Kunst	Sachunterricht	Deutsch
8.45 – 9.30 Uhr	Sachunterricht	Sachunterricht	Englisch	Mathematik	Deutsch
9.30 – 9.45 Uhr	Pause				
9.45 – 10.30 Uhr	Mathematik	Deutsch	Deutsch	Deutsch	Mathematik
10.30 – 11.15 Uhr	Englisch	Musik	Mathematik	Deutsch	Religion
11.15 – 11.30 Uhr	Pause				
11.30 – 12.15 Uhr	Sport	Religion	Sport	Werken	Musik
12.15 – 13.00 Uhr	Sport	Förderunterricht	–	Werken	–

1 Beantworte die Fragen zu Tims Stundenplan.

Zur Lösung hilft dir folgendes Pfeilbild:

Das hilft.

a) Wie lange dauert eine Unterrichtsstunde?

b) Wie lange dauert eine Pause?

c) Wie lange dauert der Deutschunterricht am Donnerstag?

d) Tims Schulweg dauert 20 min.
Wann muss Tim zu Hause losgehen, um pünktlich in die Schule zu kommen?

e) Leas Schulweg dauert 15 min. Wann ist sie donnerstags (freitags) zu Hause?

f) Wie lange dauert der Unterricht am Montag und wie lange am Mittwoch?

g) Wie lange dauert der Unterricht am Donnerstag, wenn Werken ausfällt?

Seite 39 Aufgabe 1

a) ...

2 Finde gemeinsam mit einem anderen Kind weitere Fragen
und Antworten zu deinem Stundenplan.

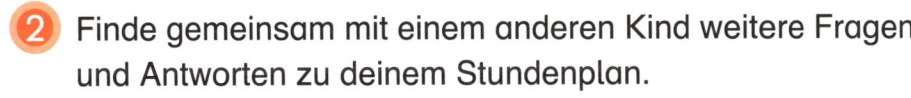

★ entnehmen Informationen zu Größen aus einer Tabelle
★ finden mathematische Lösungen zu Sachsituationen
★ formulieren mathematische Fragestellungen zu Sachsituationen

1 Schreibe die fehlenden Angaben in dein Heft.
Die Informationen dazu findest du im Ausschnitt
des Abfahrts-Plans des Stuttgarter Hauptbahnhofs.

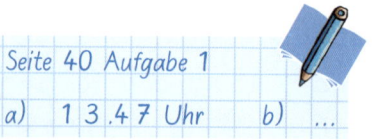

a) Um … Uhr fährt ein Zug nach
Zürich ab.

b) Dieser Zug ist um … Uhr in Singen.

c) In den Zügen mit den Nummern …
und … kann ich im Restaurant
essen.

d) Die Fahrt von Stuttgart nach
München dauert …

e) Zwischen 13.00 Uhr und 13.51 Uhr
fahren … Züge auf Gleis 5 ab.

f) Es fahren insgesamt … Züge,
bei denen ich eine ICE-Fahrkarte
benötige.

g) Nach Frankfurt zum Flughafen
kann ich mit dem Zug Nr. …
und mit dem Zug Nr. … fahren.

h) Nach Mailand (Milano) fährt in
Stuttgart der Zug Nr. … um … Uhr
auf Gleis … ab.

i) Wenn ich nach Konstanz möchte,
kann ich um 13.47 Uhr abfahren.
In Singen muss ich um … Uhr
umsteigen.

Zeit Time	Zug Train	Richtung Destination	Gleis Track
		13.00	
13.02 ✗ außer Sa	**RB** 19207	Bad Cannstadt 13.06 – Esslingen 13.13 – Plochingen 13.20 Göppingen 13.45 – Süßen 13.55 – **Geislingen 14.08**	**12**
13.07 ♿	**RE** 4958	Ludwigsburg 13.17 – Bietigheim 13.25 – Heilbronn 13.46 ⊚ Osterburken 14.26 – Lauda 14.49 – **Würzburg 15.20**	✗ außer Sa = **5** Sa, ✝ = **7**
13.12 ↑↑	**ICE** 595	Ulm 14.06 – Augsburg 14.49 – Mü Pasing 15.21 – **München 15.33** ⊚	**15**
13.14 ⬛	**IC** 2012	*ALLGÄU* Heidelberg 13.53 – Mannheim 14.06 – Mainz 14.46 – Bingen 15.04 – Koblenz 15.41 – Andernach 15.54 – Remagen 16.06 – Bonn 16.20 – Köln 16.42 – Düsseldorf 17.10 – Duisburg 17.28 – Mühlheim/R 17.35 – Essen 17.43 – Bochum 17.53 – **Dortmund 18.06** ⊚	**8**
13.22 ♿	**RE** 19445	Bad Cannstadt 13.26 ⊚ Schorndorf 13.44 – Schwäbisch Gmünd 14.04 – **Aalen 14.25**	**14**
13.27 außer Sa*	**ICE** 576 ↑↑	Mannheim 14.05 – Frankfurt ✈ (Airport) 14.38 – Frankfurt 14.53 – Kassel-Wilhelmshöhe 16.20 – Göttingen 16.40 – Hannover 17.16 – Hamburg Hbf 18.35 ⊚ Neumünster 19.25 – **Kiel 19.45** *nicht 2. Okt	**5**
13.47	**IC** 381	*INSUBRIA* Horb 14.31 – Rottweil 15.06 – Singen 15.43 Schaffhausen 16.07 – Bülach 16.29 – Zürich Hbf 16.47 – Zug (CH) 17.31 – Arth-Goldau 17.48 – Bellinzona 19.36 – Lugano 20.03 – Chiasso 20.28 – Como S. Giovanni 20.52 – Monza 21.21 **Milano Centrale 21.35** ⊚ in Singen Anschluß nach Konstanz 16.14	**6**
13.51	**ICE** 518	Mannheim 14.26 – Frankfurt ✈ (Airport) 15.06 – Siegburg/Bonn 15.46 – Köln 16.06 – Düsseldorf 16.32 – Duisburg 16.46 – Essen 16.58 – Bochum 17.09 – **Dortmund 17.21** ⊚	**9**
		Zeichenerklärung	

ICE	**InterCityExpress** Hochgeschwindigkeitszug; ICE-Fahrkarte notwendig
EC	**EuroCity** Internationaler Fernzug; IC/EC-Fahrkarte notwendig
RE	**RegionalExpress**
RB	**RegionalBahn**
🛏	Zug mit Schlafwagen
🛏	Zug mit Liegewagen
↑↑	Zug mit Restaurant
♿	Zug mit Fahrradwagen
✗	an Werktagen
✝	an Sonntagen und nachfolgenden Feiertagen

2 Schreibe Informationen in dein Heft, die du folgender
Tabelle entnehmen oder aus ihr berechnen kannst.

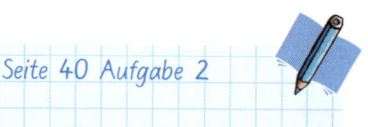

	IC 321	RE 1942	ICE 516	IC 2102
Abfahrt	15.45 Uhr	20.31 Uhr	🟨	5.43 Uhr
Fahrzeit	55 min	🟨	1 h 55 min	2 h 30 min
Ankunft	🟨	21.12 Uhr	10.15 Uhr	🟨

* entnehmen relevante Daten aus Fahrplan und Tabelle
* erschließen sich und berechnen aus verschiedenen Quellen Daten, die nicht direkt ablesbar sind
* lösen Sachsituationen mit Größen

Veränderungen im Fahrplan berücksichtigen

1 Tim möchte mit seiner Mutter zwischen 13.00 und 14.00 Uhr von Stuttgart nach Mannheim fahren. Schreibe auf, welche Züge sie nutzen können und wie lange die Fahrzeit jeweils ist.

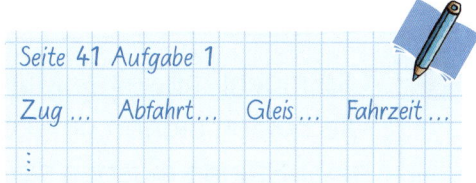

Seite 41 Aufgabe 1

Zug ... Abfahrt... Gleis ... Fahrzeit ...

:

2 Sie entscheiden sich für den IC 2012 und warten am Gleis 8. Die Bahnhofsuhr zeigt: Wie lange müssen sie noch warten?

Seite 41 Aufgabe 2

...

 3 Tim hört die Durchsage:

„Achtung! Achtung! Der IC nach Dortmund, planmäßige Ankunft 13.09 Uhr, hat voraussichtlich 15 Minuten Verspätung."

Besprich mit einem anderen Kind die Fragen, die Tim nun durch den Kopf gehen, und beantworte sie.

a) Wann fährt der verspätete Zug ab?

b) Wie lange müssen wir noch warten?

c) Wie viel Zeit vergeht normalerweise zwischen Ankunft und Abfahrt des Zuges?

d) Sollen wir lieber einen anderen Zug nehmen?

e) Warum möchte die Mutter wohl keinen anderen Zug nehmen?

f) Was heißt „ICE-Zuschlag"?

g) Tims Tante will sie in Mannheim vom Bahnhof abholen. Tim bittet seine Mutter, die Tante anzurufen. Welche neue Ankunftszeit kann sie ihr mitteilen?

Seite 41 Aufgabe 3

a) ...

 4 Erfinde selbst eine ähnliche Geschichte. Du kannst den Fahrplan verwenden oder dir eine Situation ausdenken, die zu deinem Wohnort passt. Suche dir ein anderes Kind. Stellt euch gegenseitig eure Geschichten vor und beantwortet die Fragen.

Seite 41 Aufgabe 4

...

1 Ole macht mit seiner Mutter eine Radtour. Die beiden starten um 9.00 Uhr. Nach einer Stunde machen sie eine Pause von 30 Minuten. Um 11.45 Uhr sind sie am Ziel.

Seite 42 Aufgabe 1
Nach der Pause mussten sie
noch … fahren.

Die Radtour kann man auch in einem Pfeilbild darstellen:

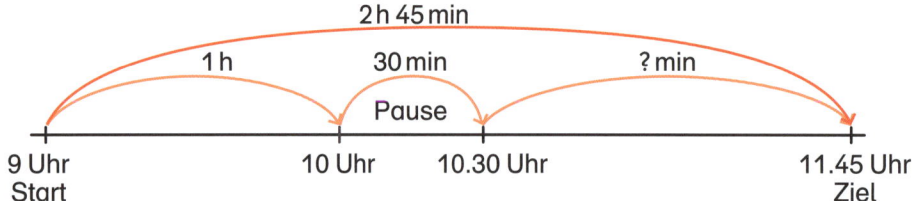

2 h 45 min

1 h   30 min   ? min
              Pause

9 Uhr   10 Uhr   10.30 Uhr   11.45 Uhr
Start   Ziel

Jetzt kannst du leicht berechnen, wie lange sie nach der Pause noch fahren mussten.

2 Lisa fährt mit ihren Eltern in den Urlaub. Nach drei Stunden machen sie eine Pause von 45 Minuten. Nach weiteren zwei Stunden Fahrt kommen sie endlich um 14.00 Uhr am Urlaubsort an.

Seite 42 Aufgabe 2
…

Bestimme, wann die Familie losgefahren ist.
Zeichne zu Lisas Urlaubsfahrt ein Pfeilbild.

3 Familie Müller aus Stuttgart trifft sich mit Familie Maier aus München zu einem gemeinsamen Urlaub am Bodensee. Beide Familien wollen um 14.30 Uhr dort ankommen. Herr Maier möchte auf jeden Fall eine Pause machen, da er mit 2 Stunden und 45 Minuten reiner Fahrzeit rechnet. Familie Müller nutzt die Urlaubsfahrt zu einem Besuch bei Oma. Sie planen dort einen 2-stündigen Aufenthalt. Um 10.45 Uhr fahren sie in Stuttgart los.

Zeichne für jede Familie Pfeilbilder und beantworte die Fragen:

a) Wie lange kann Familie Maier Pause machen, wenn sie um 11.10 Uhr zu Hause losfährt?

Seite 42 Aufgabe 3
a) …

b) Mit welcher reinen Fahrzeit plant Herr Müller?

c) Überlege mögliche Gründe, warum Familie Müller erst um 14.50 Uhr am Bodensee ankommt.

d) Besprich deine Ergebnisse mit einem anderen Kind.

* nutzen selbstständig Skizzen als Bearbeitungshilfen zur Lösung von Sachsituationen

Einem Übersichtsplan Informationen entnehmen

Stichtagsregelung Saison 2016/2017			
Jugendklasse	Jahrgänge	Spielzeit pro Begegnung	bei Turnieren maximal pro Tag
G-Junioren/-innen	1. Januar 2010 und jünger	2 x 20 Minuten	80 Minuten
F-Junioren/-innen	1. Januar 2008 bis 31. Dezember 2009 (2 Jahre)	2 x 20 Minuten	80 Minuten
E-Junioren/-innen	1. Januar 2006 bis 31. Dezember 2007 (2 Jahre)	2 x 25 Minuten	100 Minuten
D-Junioren/-innen	1. Januar 2004 bis 31. Dezember 2005 (2 Jahre)	2 x 30 Minuten	120 Minuten
C-Junioren/-innen	1. Januar 2002 bis 31. Dezember 2003 (2 Jahre)	2 x 35 Minuten	140 Minuten
B-Junioren/-innen	1. Januar 2000 bis 31. Dezember 2001 (2 Jahre)	2 x 40 Minuten	160 Minuten
A-Junioren/-innen	1. Januar 1998 bis 31. Dezember 1999 (2 Jahre)	2 x 45 Minuten	180 Minuten

1 Der Fußballverband macht Vorgaben für Jugendspiele.
Benutze die Tabelle und beantworte die Fragen.

a) Patrick ist am 18. August 2007 geboren.
In welcher Jugendklasse spielt er?

Seite 43 Aufgabe 1
a) E-Junioren   b) ...

b) Wie groß ist der Unterschied in der Turnierspielzeit
von F-Junioren und B-Junioren?
Rechne auch in Stunden und Minuten um.

c) Schreibe die maximale Spielzeit bei Turnieren
für alle Altersklassen in Stunden und Minuten auf.

d) Ein B-Junioren-Spiel hat um 13.30 Uhr begonnen.
Die Pause dauert 15 Minuten.
Wann ist das Spiel zu Ende?

e) Der Schiedsrichter hat ein Spiel um 13.45 Uhr angepfiffen
und um 15.05 Uhr abgepfiffen.
Die Halbzeitpause dauerte 10 Minuten.
Zu welcher Jugendklasse gehören die Mannschaften?

f) Die F-Junioren und E-Junioren spielen nacheinander auf demselben Platz.
Zwischen den Spielen ist eine Pause von 5 Minuten.
Während jedes Spiels ist eine Halbzeitpause von 10 Minuten.
Wann sind beide Spiele beendet, wenn das erste Spiel
um 12.45 Uhr angepfiffen wurde?

g) Finde selbst weitere Fragen und beantworte sie.

h) Besprich deine Ergebnisse mit einem anderen Kind.

★ entnehmen einer Tabelle relevante Informationen und setzen sie zueinander in Beziehung
★ formulieren mathematisch sinnvolle Fragen und Aufgabenstellungen zu einer Tabelle und begründen ihre Antwort

Tageslängen bestimmen und darstellen

Januar **21** Samstag	Februar **21** Dienstag	März **21** Mittwoch	April **21** Samstag	Mai **21** Montag	Juni **21** Donnerstag
SA 8:04 | SU 16:32	SA 7:11 | SU 17:30	SA 6:05 | SU 18:22	SA 5:54 | SU 20:17	SA 5:01 | SU 21:06	SA 4:43 | SU 21:33

Juli **21** Samstag	August **21** Dienstag	September **21** Freitag	Oktober **21** Sonntag	November **21** Mittwoch	Dezember **21** Freitag
SA 5:10 | SU 21:14	SA 6:00 | SU 20:18	SA 6:51 | SU 19:06	SA 7:44 | SU 17:57	SA 7:40 | SU 16:05	SA 8:15 | SU 15:54

1 Auf den Kalenderblättern ist für die dargestellten Tage angegeben,
wann die Sonne aufgeht (Sonnenaufgang – SA)
und wann die Sonne untergeht (Sonnenuntergang – SU).
Am 21. Juni ist Sommersonnenwende,
am 21. Dezember ist Wintersonnenwende.

a) Schreibe auf, an welchem Tag die Sonne
am frühesten aufgeht und am spätesten untergeht.

b) Schreibe auf, an welchem Tag die Sonne
am spätesten aufgeht und am frühesten untergeht.

c) Bestimme an diesen Tagen jeweils die Zeitdauer
zwischen Sonnenauf- und Sonnenuntergang.

d) Bestimme die Zeitdauer des möglichen Sonnenscheins
für den 21. deines Geburtsmonats.

e) Schreibe Sonnenaufgang und Sonnenuntergang sowie die Tageslänge
für den heutigen Tag auf. Angaben findest du in vielen Kalendern,
der Zeitung und dem Internet (z. B. www.kalender-365.eu).

2 Markiere Sonnenaufgang
und Sonnenuntergang
für die angegebenen
Tage. Färbe die
„Nachtzeiten" ein.

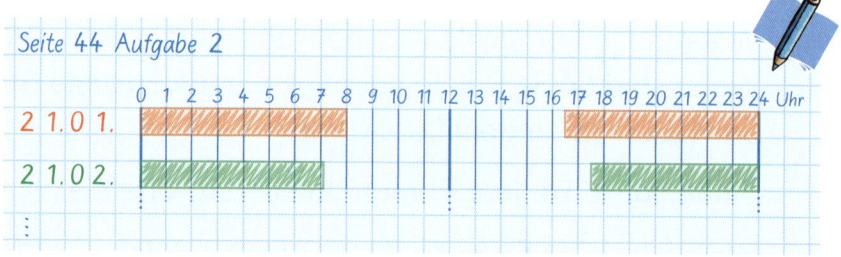

★ entnehmen einer Darstellung relevante Informationen und setzen sie zueinander in Beziehung
★ übertragen Informationen in eine andere Darstellung
★ finden selbstständig weitere Informationen durch Recherchieren unter Nutzung verschiedener Medien

→ AH Seite 38

Zeitzonen der Erde kennenlernen

Die Erde dreht sich im Laufe eines Tages einmal um sich. Dadurch entstehen die Tageszeiten. Möglichst überall soll der höchste Sonnenstand etwa um 12.00 Uhr Mittag sein. Deshalb ist die Erdoberfläche in 24 Zeitzonen eingeteilt.

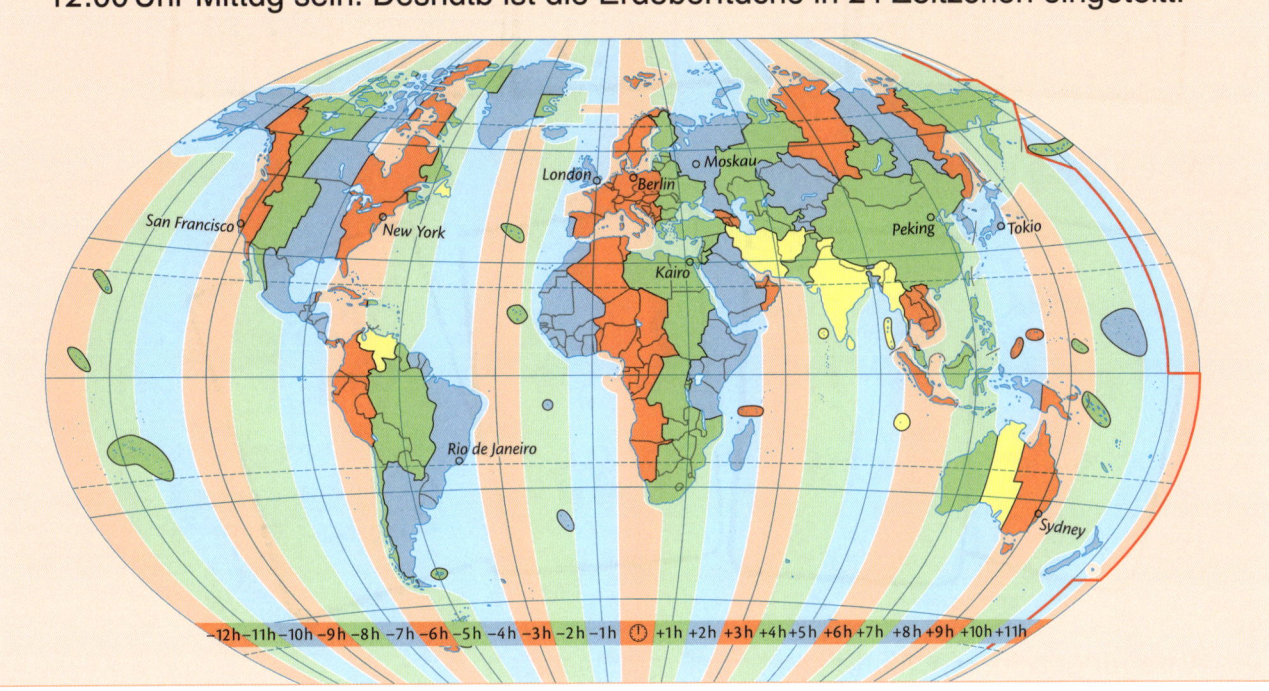

1 Wie spät ist es an den anderen abgebildeten Orten, wenn es in Berlin 10.00 Uhr ist? Schreibe die Zeiten auf.

Seite 45 Aufgabe 1

...

2 Bestimme die Zeiten.

a) Ein Flug von Berlin nach New York dauert etwa neun Stunden. Die Maschine fliegt um 9.30 Uhr in Berlin ab. Wie spät ist es in New York bei der Landung?

Seite 45 Aufgabe 2

a) New York: ... Uhr   b) ...

b) Wie lange dauert der Flug von Berlin nach Moskau, wenn das Flugzeug um 8.25 Uhr in Berlin startet und um 13.05 Uhr Ortszeit in Moskau landet?

c) Das Überschallflugzeug Concorde flog 1996 in der Rekordzeit von 2 Stunden 53 Minuten von London nach New York. Wann landete es in New York, wenn es um 9.30 Uhr gestartet war?

3 Übertrage die Tabelle in dein Heft und trage die Uhrzeiten ein.

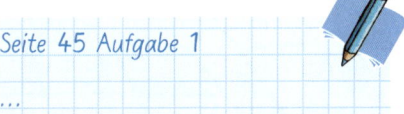

Seite 45 Aufgabe 3

Peking	12.00		...
Rio de Janeiro		9.00	...
Kairo	6.00		

Peking	12.00		21.15			
Rio de Janeiro		9.00			16.30	
Kairo	6.00			20.10		12.15

Anregungen für ein Domino

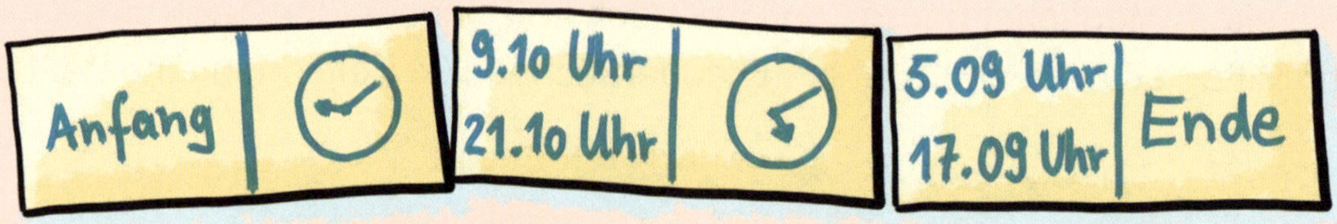

| Anfang | 🕐 | 9.1o Uhr 21.1o Uhr | 🕐 | 5.09 Uhr 17.09 Uhr | Ende |

Anregungen für ein Quartettspiel

🕐 · 9.15 Uhr · 21.15 Uhr · Viertel nach 9 Uhr

Anregungen für ein Würfelspiel mit Ereigniskarten

FRAGEKARTE
Wie viele Minuten sind 3 Stunden?

🔵① Entwirf allein oder zusammen mit einem oder mehreren anderen Kindern ein Spiel, bei dem Inhalte zum Thema Uhrzeiten und Zeitdauer geübt werden können.
Du kannst die Anregungen aufgreifen oder eigene Ideen umsetzen.

🔴② Erprobt das Spiel mit anderen Kindern und stellt es anschließend in der Klasse vor.

26 41 32 ← · 54 17 38 42 ← · 35 21 79 56 42 ← · ⭐77 ⭐96 ⭐58

* entwickeln eigene Spielideen, erproben und präsentieren sie

Projektidee: Fernsehgewohnheiten vergleichen

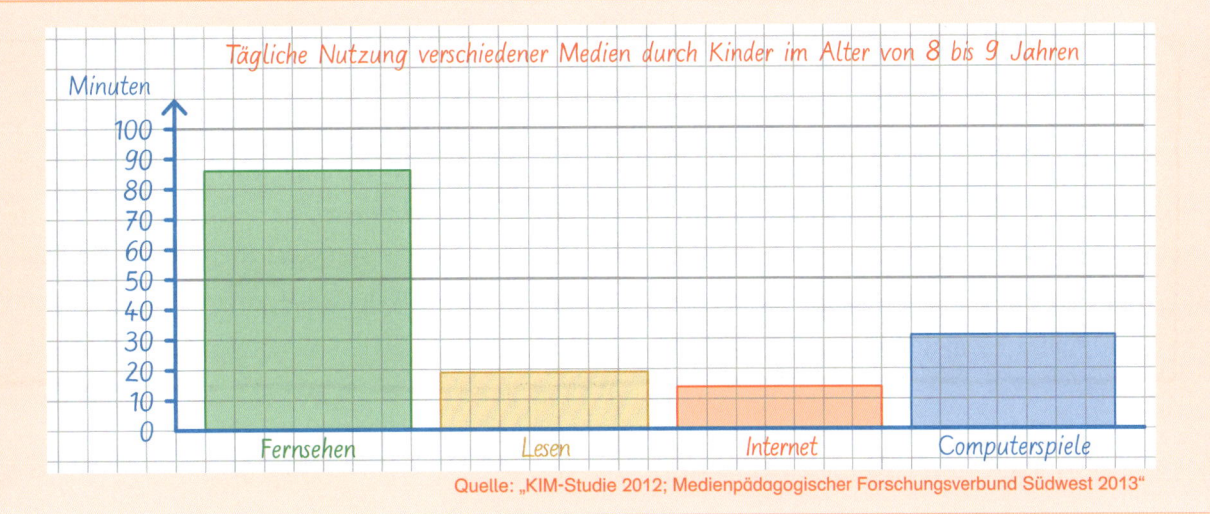

Tägliche Nutzung verschiedener Medien durch Kinder im Alter von 8 bis 9 Jahren

Minuten: 100, 90, 80, 70, 60, 50, 40, 30, 20, 10, 0

Fernsehen   Lesen   Internet   Computerspiele

Quelle: „KIM-Studie 2012; Medienpädagogischer Forschungsverbund Südwest 2013"

 1 Wertet das Säulendiagramm gemeinsam aus.

a) Vergleicht die Zahlen zur Nutzung von Fernsehen, Büchern, Internet und Computerspielen.

b) Was bedeutet: „tägliche Nutzungsdauer"?

c) Wie viele Stunden sind das ungefähr insgesamt?

d) Warum ist die Zeit beim Fernsehen am längsten?

Wie lange hast du gestern ferngesehen?

90 Minuten

 2 Führe eine Befragung durch.

a) Befrage mindestens 5 Kinder in deiner Klasse nach ihren Fernsehzeiten am Vortag. Du kannst nach Anfang und Ende fragen und die Fernsehdauer selbst berechnen oder gleich nach der Fernsehdauer fragen. Du kannst dazu auch einen Fragebogen erstellen, für gestern oder eine ganze Woche.

b) Stelle deine Befragungsergebnisse auf einem Plakat dar. Wähle eine geeignete Darstellungsform.

c) Vergleiche deine Befragungsergebnisse mit der Fernsehdauer der Kinder in Aufgabe **1**. Welche Gemeinsamkeiten und welche Unterschiede kannst du feststellten?

★ sammeln Daten aus der unmittelbaren Lebenswirklichkeit und stellen sie in Diagrammen dar
★ entnehmen einem Diagramm Daten, setzen sie zu ihren selbst gewonnenen Daten in Beziehung, ziehen Schlussfolgerungen und leiten Bewertungen ab

1 **Mein Schulweg**

Ich fahre mit dem Bus zur Schule, mit der Linie 9. Vier Kinder aus meiner Klasse fahren auch mit diesem Bus. Von zu Hause bis zur Bushaltestelle muss ich zehn Minuten zu Fuß gehen. Der Bus fährt um 7.25 Uhr ab. Von der Bushaltestelle bis zur Schule laufe ich noch einmal fünf Minuten. Insgesamt bin ich 15 Minuten mit dem Bus unterwegs. An den Haltestellen hält der Bus immer nur kurz, nur an einer Stelle muss er zwei Minuten auf die S-Bahn warten.

Um 7.55 Uhr muss ich in der Schule sein.

Maja

a) Lies den Text und beantworte folgende Fragen:
- Wie lange muss der Bus auf die S-Bahn warten?
- Wann muss Maja in der Schule sein?
- Wann fährt der Bus an Majas Bushaltestelle ab?

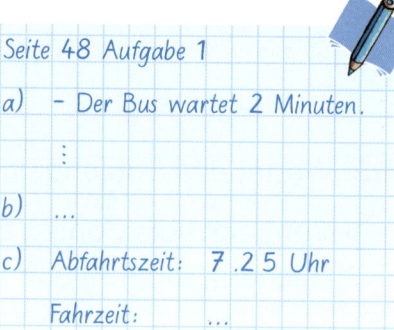

Seite 48 Aufgabe 1

a) – Der Bus wartet 2 Minuten.
  ⋮

b) …

c) Abfahrtszeit: 7.25 Uhr
  Fahrzeit: …

b) Finde selbst weitere Fragen,
zu denen du die Antworten im Text findest.
Schreibe Fragen und Antworten in dein Heft.

c) Vereinfache den Text: Wandle ihn in eine Kurz-Information um.
Verwende dazu folgende Stichworte: Abfahrtszeit, Fahrzeit, Gehzeit, Ankunftszeit.

d) Beantworte mithilfe der Kurz-Information weitere Fragen:
- Wann muss Maja spätestens aus dem Haus gehen?
- Wie lange ist Maja morgens zu Fuß unterwegs?
- Wie lange sitzt Maja täglich im Bus?

 e) Besprich mit einem Partnerkind, wie die Informationen zu Majas Schulweg
in einem Pfeilbild oder in einer Tabelle dargestellt werden können. Begründet,
in welcher Darstellung die Informationen am besten zu erkennen sind.

2 Schreibe allein oder mit einem Partner eine Rechengeschichte.

a) Übertrage den Anfang folgender Rechengeschichte in dein Heft und setze sie fort:

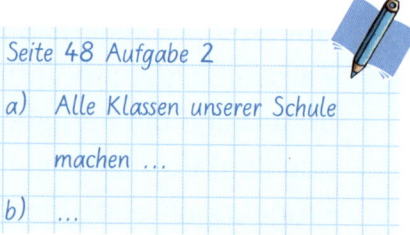

Seite 48 Aufgabe 2

a) Alle Klassen unserer Schule
  machen …

b) …

Alle Klassen unserer Schule machen einen
Ausflug. Die Kinder und Lehrerinnen und Lehrer
der Schule gehen mit. Außerdem ist aus jeder
Klasse eine Mutter oder ein Vater dabei …

Beachtet: Eine Rechengeschichte enthält Zahlenangaben und deutlich gestellte
oder versteckte Fragen. Die Zahlen kannst du aus deiner Schule übernehmen.

b) Wandelt eure Geschichte in eine Kurz-Information um.

c) Schreibt Fragen und passende Antworten auf.

★ entnehmen Texten sachrelevante Informationen und formulieren dazu mathematische Fragestellungen
★ erweitern und verkürzen Sachsituationen
★ finden durch die Variation von gegebenen Aufgaben eigene Aufgaben und Fragestellungen